자기 PR의 시대

김 성 연 엮음

지 성 문 화 사

길을 개척한 사람에게서 배운다

자기PR의 시대

김 성 연 엮음

패자는 그들이 왜
패했는지를 설명하느라 시간을 보내고,
무엇을 할 것인가를 생각하느라고 인생을 허비한다.
그들은 현재 하고 있는 일을 즐기는 법이
거의 없다.

〈고목(古木)과 거목(巨木)〉

목련 꽃잎 지던 사월 어느 날, 실로 오랜만에 야구경기를 보았다. 오랜 시간의 공백 때문인지 무척이나 낯설었다. 게다가 선수들도 낯선 사람 일색이었다. 하지만 10여 년 간 보아왔던 낯익은 노장선수들도 드문드문 눈에 띄었다. 박철순, 김성한, …….

그들의 얼굴을 보니 마음 깊이 오래 사귄, 정다운 친구를 만난 양 기뻤다. 한 마디로 대견했다.

야구인으로서 정년기를 훌쩍 뛰어넘은 그들이 아직까지 거친 야구장에서 딩굴 수 있는 요인은 무엇일까? 자연도태나 트레이드로 방출될 수도 있었는데 여태껏 살아남은 까닭은 무엇일까?

내 어렸을 적 틈만 나면 어머니는 쌍봉사 아랫터에 자리잡은 외할머니댁에 보내시곤 했다. 솔잎처럼 깨끗한 부추로 부추나물을 만든다는 이유로, 또는 홀로 사시는 외할머니가 널 보고 싶어한다며 억지로 보내기도 했다.

가기 싫다며 눈물바람으로 광주를 떠나 외가에 도착할 때가 되면 눈물 따윈 사라져버리고 무엇을 하며 놀 것인가를 궁리하기에 여념이 없었다.

그곳에 가서는 맨날 마을 앞 시내에서 산으로 들로 나돌아다녔다. 그러다 지치면 마을 공동의 정자가 있는 탁 트인 마당에 가곤 했다. 몇백 년 세월의 흔적이 묻어나는 대여섯 그루의 고목들이 날 반겨주었기 때문이다. 둘이서 두 팔 벌려 안으려해도 안을 수 없었던 고목들, 그 사이사이로 효자비, 송덕비, 사당 등과 함께 짙은 분홍빛 백일홍이 피어 있었다.

십여 년이 지난 지금 다시 그곳에 가보았다. 고운 단청으로 선명한 빛을 발하던 정자는 이미 퇴색한 채로 너덜거렸고, 고목들도 말라비틀어지거나 쓰레기통을 대신하고 있었다. 그들의 황량함에 매우 씁쓸했다.

그러나 밑둥을 잘라내기도 하고, 글자를 새기기도 하고, 나뭇가지에 그네도 매달아 타던 그 은행나무는 여태 우뚝 그 자리를 지키며 서 있었다. 뿐만 아니라 그 옆에는 양철 팻말까지 서 있었다. 전라남도 지정 보호수라고…….

똑같이 고난을 겪고 늙어갔는데 무슨 까닭으로 어떤 나무는 쓰레기통 역할이나 하고, 또 어떤 나무는 여태 아이들의 숨박꼭질 장으로 이용되는 걸까?

아직도 굳건한 은행나무를 바라보노라니 이런 생각이 머리속에 감돌았다.

'인간의 몸 속에서는 죽은 세포와 산 세포들이 끊임없이 싸운다. 그래서 산 세포들이 이기면 그 사람도 살아남는다. 다른 것들도 마찬가지이다. 낡은 것과 새로운 것, 소멸될 것과 살아 있는 것, 보수적인 것과 진보적인 것 등 이러한 대립물들의 싸움이다. 세계는 이 싸움 속에서 살아남은 것을 중심으로 통일되어 나가는 것이다.'

은행나무는 이러한 싸움에서 이긴 것이다. 아직까지 우뚝 서서 그 위용을 자랑하는 그를 보노라니 여느 고목이 아니라 거목(巨木)이라는 생각이 들었다.

몇백 년 동안 부딪쳐오는 시련을 견더내고 살아남은 거목을 보며 프로야구의 노장선수들을 떠올렸다.

고목으로, 또는 과거의 영화만을 되새기며 세월만 무심히 흘러보낼 수도 있었는데 거목으로 우뚝 자리잡을 수 있었던 것은 아마도 투혼의 유무인 듯했다. 자기 앞에 닥쳐온 문제들을 얼마만큼 열정적으로 풀어나가느냐의 유무인 듯했다.

이 책은 고목이 아닌 거목이 되길 바라는 이들을 위해 엮어졌다. 동서고금의 역사를 통해 투혼과 열정으로 삶을 빛낸 사람들의 이야기이다.

암담하기만 한 시련과 역경을 딛고 일어선 사람들, 신념으로 똘똘 뭉친 사람들, 도량이 넓은 사람들, 열정적인 태도로 승부

한 사람들, 사소한 것에도 신경줄을 놓지 않았던 관찰력이 뛰어난 사람들의 이야기이다. 한 마디로 세상을 살아가는 사람들의 이야기이다.

그들은 한결같이 앉아서 자기 일을 대처하지 않았다. 일어서서 맹렬히 열망하고 투자하고 결국에는 획득해냈다.

사람들은 누구나 자신들의 정맥에 마약을 투입하든지 아니면 머리 속에 희망을 불어넣든지 할 수 있다. 그것을 마음에 품고 믿기만 하면, 그것을 해낼 수 있다. 재능에 의해서가 아니라 마음가짐에 의해서 자신들의 지위가 결정된다는 것을 사람들은 다짐해야 한다.

부디 쓰잘 데 없는, 늙어빠진 고목이 되기보다 오래 남아 자신의 존재를 증명시켜나가는 거목이 되기를…….

김 성 연

차례

제1장

무엇이 위대한 인물을 만드는가

차례

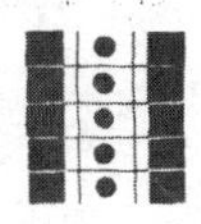

한 송이 꽃에서 배운 교훈

차례

일이 즐거운 사람

제4장

가난과 절망 너머엔

제5장

사소한 문제에서부터 출발하라

제1장

무엇이 위대한 인물을 만드는가

저는 할 일이 많습니다.
때문에 남과 다툴 여유가 없습니다.
후회할 틈도 없습니다.

무엇이 위대한 인물을 만드는가

◆

가장 어려운 세 가지의 일은
비밀을 지키는 것,
남에게서 받은 위해(危害)를 잊는 것,
한가한 시간을 이용하는 것.

남북 전쟁 때였다.

남부 연방 대통령인 제퍼슨 데이비스는 로버트 리이 장군을 불렀다.

"장군! 장군의 직속 부하 사관을 일선 부대 지휘관으로 승진시킬 생각이네. 그럴 만한 인물인가? 그에 대해 말해주게."

"각하, 그는 나무랄 데 없는 유능한 군인입니다. 한 부대의 지휘관으로 빈틈없는 자격 조건을 갖추고 있습니다. 그를 임명하시면 틀림없습니다. 정말 잘 선택하셨습니다."

리이 장군이 부하 사관을 극구 칭찬하자 대통령은 고개를 끄덕였다.

이 말을 전해들은 그 부하 사관은 상기된 얼굴로 그날 밤 장군의 숙소로 찾아왔다.

"장군님!"

"무슨 일인가?"

"장군님은 도대체 어떤 분이십니까?"

"아닌 밤중에 홍두깨 같은 소리군그래? 내가 어떤 사람이냐고……? 어찌 사람이 자기가 자기를 평가할 수 있겠는가!"

리이 장군이 어리둥절한 표정을 짓자 그 사관이 털썩 무릎을 꿇었다.

"장군님, 장군님께서 대통령 각하께 극구 칭찬한 저는 언제나 장군님을 격렬하게 비평했었습니다. 기회가 있을 때마다 장군님을 비웃었습니다. 그것을 알고나 계십니까?"

그 말을 들은 장군은 빙그레 웃었다.

"물론, 그것은 잘 알고 있네."

"그런데도 저를 칭찬한 까닭은 무슨 이유에서입니까?"

"대통령 각하께서 나에게 질문한 것은 내가 자네를 어떻게 생각하고 있느냐에 대해서이지, 자네가 나를 어떻게 생각하고 있느냐는 아니었네. 그래서 나의 생각을 말씀드린 것 뿐이었네."

이 말을 들은 부하 사관은 뜨거운 눈물을 흘리며 어깨를 들먹이기 시작했다.

얼치기는 능력으로

◆

격(激)하지 않고,
급하지 않고, 겨루지 않고,
따르지 않고, 그로써
대사(大事)를 이루자.

허풍쟁이 피아니스트 스타이벨트는 1800년 파리에서 어느 정도 성공을 거두고 빈으로 돌아왔다.

베토벤의 친구들은 스타이벨트의 출현에 마음이 조마조마했다. 스타이벨트는 베토벤과 경쟁하려 할 것이 틀림없기 때문이다. 특히 상대방을 내리깍아 자기를 포장하는 그의 인간성을 잘 알았기에 더욱 그랬다.

스타이벨트는 베토벤을 방문하려고 하지 않았다. 자기가 생각하기에 풋내기인 그를 방문하는 것은 자신의 위엄에 손상이 간다고 생각했기 때문이다.

그러나 운명처럼 그들은 프리스 백작의 집에서 만나게 되었다.

어색한 침묵이 잠시 흐르고 베토벤은 피아노 앞에 가 앉았다. 베토벤은 새로 작곡한 〈피아노 트리오 B플랫 장조〉의 피아노 파트를 연주했다.

긴 소파에 비스듬히 기대어 앉아 듣고 있던 스타이벨트는 그의 연주가 끝나자 한껏 거드름을 피우며 다가왔다. 그리고 마치 위대한 작곡가가 신출내기 작곡 지망생에게 말하듯 베토벤의 등을 툭툭 두드리며 말했다.

"자네, 열심히 노력하면 그런 대로 봐줄만 하겠어."

이어 스타이벨트는 베토벤이 앉았던 그 피아노 앞에 앉았다. 그리고 자신의 장기인 트레몰로로 대단한 효과를 내며 피아노를 쳐내려갔다.

그도 만만치 않았다.

일주일 후, 프리스 백작 집에서 둘은 다시 만났다. 스타이벨트는 피아노와 현(弦)을 위한 화려한 즉흥곡을 준비했다.

그는 막힘없이 준비한 곡을 쳐내려갔다.

그를 존경하던 사람들은 그 선율에 감동하여 찬사를 아끼지 않았다.

그러나 베토벤은 화가 났다. 스타이벨트가 연주한 곡의 주제는 자신이 일주일 전에 연주한 3중주에서 따온 것이었기 때문이다.

그러나 경쟁은 시작된 것이어서 베토벤이 그의 능력을 보여야 했다.

베토벤은 자신을 작달막하고 거무스레한 피부를 지닌 못생긴 젊은이라고 표현했던 게리넥이 생각났다. 피아니스트인 게리넥은 어지간히도 그를 괴롭혔었다. 그가 발표한 작품이란 작품은 모조리 재편집하여 마치 자신의 작품인 양 발표했었었다. 만일 게리넥이 초대받지 않는 곳에서 연주하면 창 밖이나 처마밑에

서서 엿듣고는 곧장 자기 집으로 달려가 방금 자기가 엿들은 주제에다 변주곡을 만들곤 했다. 결국 베토벤은 참다 못해 게리넥이 도저히 미칠 수 없는 곳으로 도망쳤지만.

베토벤은 피아노를 향해 걸어가는 도중, 스타이벨트의 악보를 집어다가 피아노 위에 거꾸로 꽂았다. 그리고 나서 한 손가락만으로 그 주제를 쳤다. 스타이벨트에 대한 분노였다.

베토벤은 좌중을 흘끗 한번 쳐다보더니 갑자기 미친 듯이, 즉흥 연주를 했다. 지금까지 듣지 못한, 힘이 있는 곡이었다.

스타이벨트는 연주가 끝나기도 전에 몰래 방에서 빠져나갔다. 그는 두 번 다시 베토벤 앞에서 거드름을 피우지 않았으며 연회장에 초대를 받더라도 반드시 베토벤의 유무를 확인하고 참석했다.

웃음의 독설가

낙관주의자는
어디에서나 푸른 신호등을 보는 사람인 반면,
비관주의자는 붉은 대기 신호등만 보는 사람이다.
그러나 진정으로 현명한 사람은
색맹이다.

남바위 위에다 중절모를 눌러쓴 월남 이상재의 뒤를 일본인 형사가 미행하고 있었다. 길다란 지팡이를 짚고 가는 월남은 경성에 첫발을 내딛은 아무것도 모르는 시골영감 같았다.

월남이 그의 집에 다다라 집 안으로 쑥 들어갔다. 미행하던 형사는 혹시 안에서 무슨 음모를 꾸미지 않을까 하여 대문에 바싹 귀를 대었다. 아무 소리가 들리지 않았다. 더욱 바짝 다가서 엿들으려 하는데 갑자기 닫혔던 대문이 왈칵 열렸다.

"고단하지?"

이상재의 고개가 불쑥 튀어나와 한 마디 내뱉더니 대문은 다시 굳게 닫혀졌다. 일본인 형사는 어안이 벙벙하여 그대로 서 있을 수밖에 없었다.

소위 을사보호조약이 체결된 뒤에 일본인들은 일본의 강대함을 보여줄 명목으로 조선의 명사들로 일본시찰단을 꾸렸다. 이상재도 이에 참가했었다.

일본인들은 동양 제일을 자랑하는 병기창을 보여주고, 그날 저녁 환영회 석상에서 시찰단원들에게 소감을 물었다. 이때 월남이 나서서 말했다.

"내가 오늘 병기창을 보니, 대포며 총이 산처럼 쌓여서 일본이 과연 강국임을 알았소."

일본인들은 흐뭇한 표정으로 그를 바라보았다.

"그런데 한 가지 염려되는 것은 칼로 일어서는 자는 칼로 망한다는데, 나는 다만 그것이 걱정이오."

일본인들은 가슴이 뜨끔했다.

그가 기독교 청년회 총무를 맡았을 때의 일이다.

하루는 월남을 존경하던 사람 하나가 그의 자택을 방문하였다. 그때는 추위가 혹심한 겨울이었는데 월남이 거처하는 방은 불도 못 때서 싸늘하기 짝이 없었다. 손님으로 온 그 사람은 방구들을 쓸어보더니 약간의 돈을 내놓았다.

"우선 이것으로 땔나무나 사십시오."

"고맙소."

월남은 태연한 표정으로 돈을 받아 호주머니에 넣었다.

좀 지나자 어떤 학생이 월남을 찾아와서 학비가 없음을 호소하였다. 월남은 아무 말 없이 아까 손님이 주었던 돈을 선뜻 내주었다.

"가서 공부나 열심히 하게."

학생과 돈을 냈던 손님이 다 간 뒤에, 처음부터 그 광경을 지켜보던 사람이 민망한 듯이 물었다.

“그 돈을 모두 학생에게 주셨으니 땔나무는 무엇으로 사시렵니까?”

“사정을 잘 아는 사람이 또 주겠지.”

껄껄 웃으며 대답했다. 사정을 잘 아는 사람이란 지금 물은 바로 그 사람 밖에는 없었으므로 그 사람은 두말 없이 돈을 내놓을 수밖에 없었다고 한다.

지혜로운 작가

◆

번뜩이는 기지가 있으면
언제 어디서나 앞길을 헤쳐나갈 수 있다.

앙리 2세의 극진한 사랑을 받던 프랑스 작가 라블레는 여행 길에 있었다. 그는 왕명을 받들어 6개월여 기간 동안 로마에 머문 것이다. 고국으로 돌아갈 즈음 그는 차비가 다 떨어졌다는 사실을 알게 되었다.

난처했다. 고국에 여비를 충당해달라고 할 수 있지만 그렇게 되면 시간이 너무 오래 걸렸다. 다른 방도를 생각했지만 별 뾰족한 수가 없었다. 얼마 동안 고심하다가 그는 번뜩이는 기지 하나를 떠올렸다.

먼저 그는 철저한 변장을 했다. 왕명으로 온 자신이었기에 얼굴은 이미 다 알려져 있었다. 자신을 오랫동안 외국에서 공부하며 살다 온 명석하고 유명한 의사로 만들었다. 그런 후 자신의 연구 실적을 발표하는 연설회장을 마련하여 각계의 명사와 의사들을 불렀다.

그는 회장으로 들어가기 전에 거울을 보았다.

'음, 완벽해. 나를 알아보는 사람은 없을거야.'

그리고 연설하기 앞서 목소리 테스트를 했다.

'전혀 다른 사람의 목소리가 나오는군. 좋았어.'

강단에 선 그는 알 수 없는 의학 용어들을 섞어서 대강 시부렁댄 후 짜여진 각본대로 이렇게 말했다.

"각계의 명사님들, 그리고 유능하신 의사 여러분! 저는 오늘 이 자리에서 중대한 발표를 하려고 합니다. 너무나 중한 일이기 때문에 비밀 유지를 위해서 출입구의 문을 닫아주십시오."

사람들은 웅성거리기 시작했다.

'도대체 어떤 발견이길래 저러는 것일까.'

'어쩜 의학계에 일대 변화를 일으킬 발견일지도 몰라.'

좌중의 소란스러움을 중지시킨 후 라블레는 서서히 입술을 움직였다.

"여러분! 여기 두 봉지에는 약이 들어 있습니다. 한 봉지는 프랑스 국왕을 위한 것이고 나머지 한 봉지는 그 왕비를 위한 것입니다."

"……."

"저는 먼 외국에서 연구를 하던 중 강력한 독약을 발견하게 되었습니다. 그 치명적인 성분은 순식간에 사람의 목숨을 앗아가지요. 지금 저는 당장 파리로 가서 이것을 프랑스 왕족들에게 먹여 죽일 것입니다. 순전히 여러분들을 위한 것입니다. 폭군을 없애겠습니다. 나라일은 뒷전에 제쳐두고 고작 국민들의 세금이나 강압적으로 뺏고, 나라를 망쳐먹고 있는 그들에게 사실 이런 독약도 주기 아깝습니다."

좌중들은 기절초풍할 정도로 놀라 우르르 밖으로 몰려나가 버렸다.

곧 달려온 군인들에 의해 그는 프랑스로 이송되었다. 이송되는 기차 안에서의 대접은(?) 훌륭했다. 물론 차비는 무료였다. 드디어 앙리 2세의 앞으로 불려갔다. 그는 그곳에서 자신의 변장을 지웠다.

"아니, 그대는 라블레가 아닌가."

라블레는 겸연쩍게 웃었다.

"국왕 폐하, 송구스럽습니다. 그만 로마에서 돌아올 차비가 떨어져서……."

신뢰

◆

남을 따르는 것을
알지 못하는 사람은 좋은 지도자가
될 수 없다.

"……시의(侍醫)인 필립포스는 이미 페르시아 왕 다리우스에게 매수됐습니다. 그를 가까이 했다가는 머잖아 큰 화가 미칠 것입니다."

병석에 누워 있던 알렉산더는 편지를 덮었다. 바른손에 턱을 괴고 조용히 생각에 잠겼다.

잠시 후, 알렉산더는 베개맡에 놓여 있는 호머의 시집을 펼쳐들어 책갈피 사이에 편지를 끼워넣었다.

페르시아 왕 다리우스 3세와 알렉산더의 접전은 그의 기나긴 원정만큼이나 끈질기고도 길었다. 그라니코스 강 유역의 첫 대면에서 패전한 다리우스는 60만 대군을 거느리고 잇소스에서 알렉산더를 기다리고 있었다. 그러나 알렉산더의 군대는 어찌된 일인지 꿈쩍도 하지 않았다.

쉽사리 페르시아 대군에 맞서지 않는 마케도니아 진영을 향해 다리우스는 득의 양양하게 소리쳤다.

"우하하, 새파란 알렉산더 녀석이 60만 대군 앞에서 겁쟁이가 되었구나."

그 무렵 알렉산더는 중병에 걸려 자리에 누워 있었다. 끊임없는 열정과 투지로 세계를 정복해나가는 그답지 않게 알렉산더의 몸은 허약했다. 보통사람보다 체온이 높았으며 질병이 잦았다. 이때도 상당히 깊은 병에 들어 있었던 것이다.

시의가 다리우스에게 매수당했다는 편지를 책갈피 속에 끼워 다시 베개맡에 놓았을 때 시의인 필립포스가 약을 처방해왔다.

알렉산더는 쟁반 위에 정갈하게 놓인 약그릇을 바라보았다. 물끄러미 약그릇을 바라보고 있을 때 갑자기 한 병사가 뛰어들었다.

"대왕마마, 그 약을 드시지 마십시오. 필립포스는 다리우스와 내통하고 있습니다."

병사는 꿇어 엎드려 간절하게 아뢰었다.

알렉산더는 손을 베개맡으로 뻗어 호머의 시집을 꺼내들었다. 그리고 그 편지를 꺼내 필립포스에게 건넸다. 필립포스가 편지를 읽는 동안 그는 아무 말 없이 약을 마셨다.

알렉산더는 그 약을 마신 후 혼수상태에 빠졌다.

격노한 마케도니아 군은 필립포스를 참수시키려 결박했다.

"내게 2, 3일간의 말미를 주시오. 대왕께서는 반드시 다시 일어나십니다. 만약 대왕께서 깨어나시지 않는다면 그때 죽으리다."

형장에서 필립포스는 다급하게 요청했다.

"내가 이대로 죽는다면 혼수상태인 대왕의 목숨은 어찌 되겠소. 내 목숨 걸고 대왕을 살려놓겠소."

전시 중에 의사도 구하기 힘든 터에, 필립포스의 자신에 찬 목소리에 병사들은 그를 알렉산더 침대가에 묶었다. 만일 2, 3일 후에도 깨어나지 않으면 참수당할 각오를 하라고 눈알을 부라리며.

필립포스의 주위에는 창을 든 병사들이 즐비했다. 알렉산더는 여전히 식은땀을 줄줄 흘리며 혼수상태에 빠져 있었다. 필립포스는 지성으로 알렉산더의 열을 달래기 위해 약을 처방하여 떠먹이기도 하고 물수건질을 해댔다.

이윽고 알렉산더는 정신을 차렸고 증세도 차츰 좋아졌다. 알렉산더가 자리를 털고 일어나 그의 애마 브케파라스를 탈 무렵에는 필립포스의 기력이 다 쇠진해버릴 정도였다.

알렉산더는 곧바로 잇소스로 출전해 페르시아 대군을 격파했다.

왼손을 위한 피아노 소나타

◆

인간은 누구나
무거운 짐과 결점을 지니고 있다.
그러므로 타인의 도움 없이는 살아나갈 수 없다. 우리는
서로서로 위로와 충고와 협의로써
도와나가지 않으면 안 된다.

따뜻한 마음을 지닌 오퍼드 고도우스키는 피아니스트이며 작곡가이다. 그는 연주여행 도중에 불운한 피아니스트에 대한 얘기를 들었다. 그 피아니스트는 오스트리아의 비트겐슈타인이었는데 제1차세계대전에서 그만 오른팔을 잃은 것이다.

고도우스키는 비트겐슈타인의 불행이 남의 일 같지 않았다. 그래서 그는 비트겐슈타인을 만나 약속했다. 왼손만으로 연주할 수 있는 곡을 만들어주겠다고.

그러나 연주여행 중이었기 때문에 작곡에 손을 댈 수가 없었다. 작곡에 몰두할 수 없었기에 그 약속이 심지어는 부담처럼 느껴졌다.

그때 그는 비트겐슈타인과 처지를 바꿔 생각해보았다.

'내가 만약 오른팔을 잃었다면 난 어떻게 연주를 할까?'

그의 뇌리에 하나의 이미지가 떠올랐다. 그는 머리 속에 맴도는 영상처럼 곡을 써갔다.

드디어 연주곡은 완성되었고 비트겐슈타인은 그 곡을 연주하여 전세계적으로 그의 이름을 드높혔다.

왼손을 위한 연주곡을 작곡한 사실도 잊어버릴 무렵, 고도우스키는 뇌졸증으로 쓰러졌다. 그리고 오른팔이 거의 마비되는 지경에 이르렀다.

그러자 그는 이전에 비트겐슈타인을 위해 쓴 자신의 곡을 왼손만으로 연주하며 연주활동을 계속했다.

짐은 독주를 좋아하노라

◆

짐은
독주를 좋아하니 내일은
합주단원 한 사람 한 사람의 독주를
듣겠노라.

제나라 선왕(宣王)은 피리합주를 무척이나 좋아했다. 당연히 선왕 주위에는 적인(笛人)들이 몰려들었다. 그러자 선왕은 아예 3백 명의 피리합주단을 조직하여 높은 국록(國祿)을 주었다. 그런데 합주단 속에는 엉터리 적인도 있어서 가끔씩 듣는 이들의 이맛살을 찌푸리게 하기도 했다. 그러나 합주만을 하였기 때문에 엉터리 적인을 골라낼 수가 없었다.

특히 세자는 엉터리가 누구인지 알아내고 싶었지만 부왕의 노여움이 두려워 함부로 할 수 없었다.

선왕이 죽고 자신이 왕이 되자 세자 시절 참고 참았던 엉터리 적인을 알아내기로 작정했다. 섣불리 건드렸다간 파란이 일고 잡음이 많아질 것 같아 좋은 계책을 세우는 데 고심했다.

어느 날 그는 피리합주단을 불러놓고 일렀다.

"짐은 독주를 좋아하니 내일은 한 사람 한 사람의 독주를 듣고자 하노라."

이튿날 연주장에 나온 사람은 겨우 30명뿐이었다.

위기의 남자

◆

지상(至上)의 처세술은
타협하지 않고 적응하는 것이다.

영국의 찰스 2세는 악명 높은 통치자였다. 어느 날 지당파(至當派)이며 대법관인 샤프츠벨리 백작은 위기에 봉착했다.

자신의 지위인 장관으로서, 또는 이 나라의 한 개인으로서 왕의 심중에 꼭 들고 싶었다. 그래서 백방으로 노력해왔는데 그것이 무산될 위기를 바로 코앞에서 맞닥트린 것이다.

이 위기를 잘 넘기지 못하면 그렇지 않아도 악명 높은 왕인데 무슨 봉변을 당할지도 모르는 일이었다.

목숨이 위태위태할 것 같은 위기는 바로 이 문제였다.

자기가 좋아하는 여자를 찰스 2세도 좋아하고 있는 것이었다. 문제는 찰스 2세도 이것을 똑같이 알고 있다는 데에 있었다.

샤프츠벨리 백작은 고심하다가 하나의 그럴 듯한 꾀를 생각해냈다.

'그래, 소문을 퍼트리는거야. 나도 그 여자를 좋아하고 있지만 실제로는 전혀 안중에도 없다고 말야.'

그 소문은 즉각 퍼졌다.

이 소문이 왕의 귀에 들어가지 않을 리는 만무했다. 왕은 샤프츠벨리 백작을 조용히 불러냈다.

"지금 퍼지고 있는 소문이 사실이냐?"

이렇게 은근히 묻는 찰스 2세의 모습을 내심 기뻐하면서 능청스럽게 대답했다.

"예, 정말입지요. 사실은 그 여자 말고도 다른 여자가 또 있사옵니다. 여자란 하늘에 떠 있는 달처럼 늘 새롭게 바꾸는 것이 즐겁습니다. 하하."

며칠 뒤였다.

찰스 2세는 집정을 마치고 잠시 동안의 휴식시간을 틈타 주위 사람들에게 이렇게 말했다.

"경들은 혹시 안 믿겠지만, 저기 저쪽에 서 있는 샤프츠벨리가 말야, 소심한 저 사나이가 말야. 실은 이 나라에서 제일가는 난봉꾼이라네. 으하하하."

백작이 왕 곁으로 다가왔을 때 웃음소리는 더욱 호탕스럽게 커졌다.

"지금 백작의 이야기를 하고 있지."

찰스 2세가 무슨 말을 하는지 짐작이 되고도 남았으나 백작은 짐짓 모르겠다는 듯 고개를 내저었다.

"음, 백작은 이 나라에서 으뜸가는 난봉꾼이라고 말했지."

"아! 그것 말입니까? 아무렴요, 여부가 있나요? 으흐흐."

남을 증오할 여유를 갖지 말라

◆

나에게는
남과 다툴 여유가 없습니다.
후회할 틈도 없습니다.

제1차세계대전이 한창인 1918년, 미시시피 강 중부 지방에서 일촉즉발의 극적인 사건이 생겼다.

한 치 앞을 헤아릴 수 없는 어지러운 국제 정세를 틈타 흑인들에 의한 모반을 선동하는 독일인이 있다는 풍문이 떠돌았다.

어수선한 분위기 속에서도 일요일이 되면 어김없이 사람들은 교회에 나갔고 목사는 목청을 돋궈 설교를 해댔다. 그날도 교회에서는 설교가 진행 중이었고 교회 언저리엔 백인들이 흩어져 앉아 밖으로 흘러나오는 목사의 설교에 귀를 기울이고 있었다.

"여러분! 잘 들으십시오. 인생은 투쟁입니다. 고로 이것을 물리치고 이겨내려면 우리 흑인들은 모두 갑옷을 추려입고 용감하게 싸우지 않으면 안 됩니다."

연설 속에 드러난 '싸웁시다', '갑옷'이라는 직설적인 말 때문에 청년들은 흥분했다.

그날 밤 어둔 정적을 깨트리고 폭도들은 왁자지껄하게 교회를 포위했고 목사의 턱에 밧줄을 휘감았다. 그리고 1마일 이상이나 끌고 가 화형(火刑)대 위에 그를 묶어세웠다.

그때 무리 중의 누군가가 소리쳤다.

"잠깐, 마지막 유언이나 들어봅시다."

"그래, 아무리 폭악무도한 사람도 유언을 하게 하니까……."

"아무 말이든지 떠들어 봐. 빨리 지껄이란 말야!"

"당신들은 사람을 잘못 보았소."

목사는 숯더미 위에서 밧줄을 목에 건 채 말하기 시작했다.

"나는 아이오와 대학을 졸업하자마자 곧바로 여기로 왔습니다. 그것도 남부에서도 가장 벽지인 이곳에 말입니다. 그것은 꿈 때문이었습니다. 워싱턴의 전기를 읽은 후 큰 감명을 받았지요. 가난에 허덕이는 무지 몽매한 동포들의 교육을 위해서 제 일생을 바치기로 결심한 것입니다.

학교 성적은 다방면에 걸쳐서 뛰어났습니다. 졸업 당시 여러 곳에서 일자리 의뢰가 왔지만 모두 거절했습니다. 그리고 회중시계를 저당잡히고 여기 이곳 산중의 빈터에 책상 대신 나무 몇 토막을 세워 학교를 열었습니다."

목사는 코앞에 닥친 죽음에도 결코 굴하지 않고 의연한 목소리로 격분한 무리들을 향해 계속 말을 이었다.

"우리 마을의 가장 큰 문제인 교육문제를 해결하기 위해 얼마나 노력을 기울여왔는지 여러분들은 모르실 겁니다. 그리고 학교 창립을 도와주신 분들과 토지라든가 목재, 가축, 현금 등을 기부해준 수많은 여러분들의 공헌에도 감사드립니다."

목사는 자신을 태워 죽이려고 덤벼드는 사람들을 원망하기는커녕 감사의 표시를 했다.

"나에게는 남과 다툴 시간이 없습니다. 후회할 틈도 없구요."

목사는 그 자신을 위한 것이 아니라 자신의 주의(主義)를 위해서 진심에서 우러나오는 감동적인 열변을 토했다.

분위기가 한결 누그러졌다. 그때 웅성거리던 무리 중에서 남군 병사였던 한 사람이 이렇게 말했다.

"저 목사가 옳은 것 같애. 저 사람을 도와줬던 이들은 모두 내가 아는 사람들이야. 아주 훌륭한 일을 하고 있어. 우리가 실수한 것이 틀림없어. 우리들의 오해야. 죽이지 말고 도와줘야 해."

즉석에서 사람들은 그 노병(老兵)의 모자를 돌려서 기부금을 모았다. 거두어진 돈은 로렌스 존스 목사의 손에 쥐어졌다.

겸손한 과학자들

라듐은
자비의 도구입니다.
바로 전세계 모든 사람들의 것이지요.
한 사람의 사사로운 욕구를
충족시키기 위한 것이 아닙니다.

"찰칵 찰칵"
연신 카메라의 플래시가 터졌다. 신문마다 대서특필되었고, 헤아릴 수조차 없는 강연회 초빙, 온갖 모임의 만찬회에다가 각종 격려의 훈장들이 잇달았다. 그들이 가는 곳곳마다 취재기자들, 사진기자들, 구경꾼들이 몰려들었다. 환호성에 둘러싸인 그들은 바로 라듐의 발견으로 노벨 물리학상을 수상한 퀴리 부부이다.

유명 상품 제조업자들은 마리 퀴리의 이름을 상품에 넣게 해달라 하고, 말을 사육하는 사람은 자신의 애마에게 그녀의 이름을 붙일 수 있도록 허락해달라고 간청을 해오기도 했다. 몇 년 동안 사람들은 가장 훌륭한 인물로서 그들의 일거수일투족을 놓치지 않고 추적하고 있었다.

마리 퀴리가 강연차 베를린에 갔을 때이다. 기차에서 내려 플랫폼으로 내려섰을 때 아무도 그녀를 맞으러 나온 사람이 없었다. 퀴리 부인은 기뻤다. 군중들은 다른 쪽 플랫폼에서 웅성거렸다. 그곳에는 같은 기차를 타고 온 잭 뎀프시가 지금 막 내리고 있었던 것이다. 그는 권투의 세계 챔피온이었다.

그녀는 자신의 명예를 소란스럽게 떠들어대는 것 자체를 싫어했다. 그녀는 호사가들의 관심에 개의치 않았다.

"마리, 라듐의 추출 과정에 특허 신청을 내요."

"아니 꼭 그럴 필요가 있어요?"

"특허가 나면 라듐 1그램에 무려 15만 달러의 가치가 있게 돼요. 그렇게 되면 당신들 부부에게는 엄청난 부가 저절로 생기게 되죠."

"그러나 우린 그런 것들을 결코 원치 않아요. 우리들이 발견해낸 것에서 어떤 형태로든 수입이라든지 돈을 번다는 것은 결코 바라지 않아요."

"라듐은 자비의 도구입니다. 바로 전세계 모든 사람들의 것이지요."

그녀의 남편 삐에르 퀴리의 생각도 마찬가지였다.

'수익이나 영예도 바라지 않는다. 단지 우리들이 원하는 것은 실험을 하기 위한 좋은 실험실을 가지기를 원할 뿐이다.'

그들의 생각을 감지한 친구들은 학사원 회원 후보가 되라고 권유했다.

"퀴리, 잘 들어보게. 과학학사원의 회원 후보가 되면 명예뿐만 아니라, 소르본느 대학의 교수직도 가질 수 있다네. 그렇게 되면 자연스럽게 실험실도 얻게 될 것일세."

하는 수 없이 삐에르 퀴리는 학사원 회원들을 모두 방문해야만 했다. 기존의 회원들을 방문하여 신입 회원으로 선출되는 명예를 가질 자격이 있음을 보여줘야 하는 것이 그곳의 관례였기 때문이었다.

각 회원들의 집을 찾아다니는 그의 발걸음은 가볍지만은 않았다. 노크를 한 후 자신의 PR을 한 뒤에 방문한 목적을 이야기한다. 이런 굴욕적인 행동들은 수치심으로 그의 마음을 얼룩지게 했다.

'이게 대체 무슨 짓거린가? 나의 인내력에 한계가 느껴질 정도로 괴로운 경험이다. 자신의 탁월성을 스스로 밝혀야 하고, 내가 생각하는 바가 매우 건전하다는 사실을 내 입으로 자랑해야 하다니…….'

끝내 그는 그의 경쟁자이며 라이벌인 과학자를 오히려 추천했다.

"아마가 씨가 저보다 훨씬 학사원에 들어갈 자격이 있습니다. 그의 과학적 업적이나 지식들은 훌륭한 것입니다. 그는 정말 뛰어난 과학자입니다."

이렇듯 상세한 설명과 함께 진정한 마음으로 경쟁자를 칭찬한 것이다. 학사원은 아마가를 회원으로 선출했다.

자신의 과오를 먼저 이야기하라

◆

나무라고 있는 자신도
완전 무결한 사람이 아니라는 점을
겸손하게 자인하면서
상대방의 실수에 대하여 타이르라.

데일 카네기는 질녀인 조세핀 카네기를 비서로 채용하여 캔사스 시로부터 그녀를 데려왔다.

그때 질녀 조세핀 카네기의 나이는 19세였고 3년 전에 고등학교를 졸업했었다. 직업적인 경험이 전무한 그녀였기에 실수가 많았다. 단지 성공할 만한 자질만을 갖추었을 뿐이었다.

어느 날이었다.

연달은 실수에 조세핀은 얼굴을 붉히며 안절부절 못했다.

"어머, 이를 어쩌나. 또 실수를 저질렀네. 난 왜 요모양이지. 데일 삼촌 정말 죄송해요."

카네기는 질녀 조세핀을 야단치려고 했다. 그러나 곧바로 자신에게 타일렀다.

'잠깐만 참아라. 데일 카네기, 조금만 참아봐. 나는 조세핀에 비하여 두 배나 더 나이를 먹었고, 몇천 배나 더 많은 직업상의 경험을 가지고 있지 않은가. 비록 대수로운 일은 아니지만 내가 가진 소견과 판단과 창조력을 조세핀에게 요구할 수야 없지 않으냐. 하물며 나 자신의 19세 때를 생각해봐. 내가 저지른 우둔(愚鈍)하고 어리석은 과오들과 그 당시 내가 한 이런 일 저런 일들을…….'

이런 생각이 미치자 데일 카네기는 솔직하고 공정한 입장에서 이렇게 다시 생각했다.

'조세핀의 타율이 나의 19세 때의 것보다는 확실히 우수하다. 오히려 솔직히 말해서 조세핀을 크게 칭찬해줘야 할 일이 아니냐.'

그 다음부터 데일 카네기는 조세핀에게 주의를 시킬 일이 있을 때는 언제나 이렇게 말하곤 했다.

"조세핀, 네가 지금 과오를 범했는데 따지고 보면 내가 그 옛날 너만 했을 때 저지른 과오에 비하면 아무것도 아니야. 이것은 경험과 더불어 자발적으로 생겨나는 것인데, 내 나이 때와 너를 비교하면 너의 판단력이 훨씬 훌륭해. 나는 너무 어리석은 짓들을 해왔기 때문에 너나 또는 아무라도 잘못한 것을 나무라고 싶지는 않아. 그러나 너 자신도 이렇게 했더라면 더 현명했으리라고 생각하지 않니?"

다른 사람을 나무라고 있는 자신도 결코 완전 무결한 사람이 아니라는 점을 겸손하게 자인하면서 상대방의 실수에 대하여 타이르는 법을 데일 카네기는 알고 있었던 것이다.

상대방에게 이야기할 기회를 주라

◆

잘 싸우는 사람은
무력으로 싸우지 않는다.

필라델피아 전기 회사의 조셉 S. 웰 씨는 한창 번창하고 있는 펜실베니아의 화란인 농장 지대를 시찰하고 있었다.

"이봐, 이곳 사람들은 왜 전기를 사용하지 않지?"

잘 가꾸어진 농가를 지나치면서 그를 수행하는 지사 직원에게 물었다.

"제기랄, 말도 마십시오. 얼마나 지독한 구두쇠들인데요. 저 사람들한테 무엇을 팔아먹겠다는 생각은 아예 마십시오."

혀를 내두르며 지사 직원은 도리질쳤다.

그건 단순히 물음에 대한 부정의 의사 표현이 아닌 증오에 찬 대답이었다.

"나 원 참. 어디 그 뿐입니까? 전기 회사에 대해서는 반감을 가져도 이만저만해야지. 전기 회사 직원 보기를 메두사 머리 보듯 하죠. 몇 번 애써 보았으나 매번 허탕만 치고 말았어요. 정말 기대할 바가 못 되죠."

직원의 말을 들은 웰은 생각했다.

'그럴 듯한 말이다. 그러나 한번 부딪쳐보는거야. 두드려라! 그러면 열릴 것이다.'

그는 뚜벅뚜벅 농가를 향해 걸었다.

"똑똑 똑똑똑."

문이 삐걱 약간, 아주 약간 열리더니, 할머니가 고개만 빠끔 내밀었다.

무슨 일이냐는 눈빛이었다.

"저어, 전기 회사 직원입니다. 다름이 아니라……."

"쾅."

현관문은 요란한 소리를 내며 닫혀졌고 창문의 커텐마저 착 소리가 들리며 쳐졌다.

"똑똑똑."

몇 차례의 노크 소리가 들리자 할머니는 신경질적으로 현관문을 벌컥 열어젖혔다.

"도대체 당신네들은 뭐요? 내가 당신네 회사를 좋게 보는 줄 아슈? 내가 전기를 끌어다 쓰든 말든 무슨 상관이란 말이요?"

"부인, 정말 미안하게 생각합니다. 부인을 괴롭혀 드린 점 거듭 사과하지요. 하지만 오늘은 전기를 팔러 온 것이 아니고 계란을 좀 사려고 온 것입니다."

문을 닫고 들어가려던 할머니는 다시 문을 열며 못 믿겠다는 표정으로 그들을 보았다.

"훌륭한 도미니크스 종을 기르고 계시는 것을 보았는데 신선한 계란 열두 개만 샀으면 합니다."

마침내 문이 완전히 열리더니,

"우리집 암탉들이 도미니크스 종이란 것을 어떻게 아셨죠?"

무척 호기심어린 질문이었다.

"실은 저도 닭을 키우고 있는데 말씀입니다. 댁의 닭보다 더 훌륭한 도미니크스 종은 일찍이 본 적이 없습니다."

"왜 집에서 낳는 계란을 쓰시지 않나요?"

의심이 여전히 풀리지 않은 표정으로 이렇게 물었다.

"우리집 레그혼은 흰 계란만 낳는데, 부인께서도 손수 요리를 하시니까 잘 아시겠지만, 과자를 만드는 데는 노란 계란을 따라갈 수가 없거든요. 더군다나 우리집 안사람은 과자 만드는 솜씨가 제일 큰 자랑인데 말씀입니다."

어느새 현저히 부드러워진 할머니는 현관까지 나와 있었다.

그 사이 웰 씨의 눈은 주위를 두리번거리면서 마침내 이 농장이 그럴싸한 착유소(搾乳所)를 가지고 있다는 것을 발견했다.

"솔직히 부인께 말씀드리겠습니다. 바깥주인께서 하고 계시는 젖소 수입보다는 부인의 양계 수입이 훨씬 더 클 것이 분명한데 어떻습니까?"

이 말에 할머니는 한걸음 더 앞으로 나서며 현관문을 '쾅' 하고 닫아버렸다. 그리고는 여기에 관한 이야기를 늘어놓기 시작했다.

"맞아요, 사실 알고 보면 제 양계 수입이 남편의 젖소 수입보다 훨씬 낫지요. 그런데도 이 구두쇠 남편은 좀체 이 사실을 인정하지 않는다오."

할머니는 그들을 양계장으로 안내했다. 구경을 하는 동안 웰씨는 할머니가 자력으로 고안해 만들어놓은 여러 가지 작은 시설들을 발견하고 아낌없는 찬사를 보냈다.

먹이와 온도에 대한 권고도 해주고, 몇 가지 궁금한 것에 대해 충고를 요청하기도 했다. 서로의 경험을 교환하는 유익한 시간들이었다.

"전등을 켜 놓으면 알을 많이 낳는다구요? 우리 이웃에, 양계장에 전등을 가설한 집들이 몇 채 있기는 해요. 하긴 그 사람들이 전기 덕을 많이 보긴 한 것 같던데……. 나도 그 방법을 쓰면 효과를 거둘 수 있을까요?"

2주일 후, 부인의 도미니크스 종 암탉들은 휘황찬란한 전등 아래에서 만족스런 기분으로 킥킥대며 활개를 치고 놀게 되었다.

버릇

◆

아무리
놀이일지언정 진실되게 하는 버릇을
하지 않으면 어른이 된 뒤
법을 허술히 여길까 봐…….

암행어사 박문수가 남도의 한 지방을 돌고 있을 때이다.

아이들의 글 읽는 소리도 들을 겸 마을의 서당을 찾아갔는데 아이들은 '원님놀이'에 열중해 있었다. 원님을 뽑고, 나졸을 정하고…….

군수로 뽑힌 소년은 자못 엄숙한 표정으로 좌우에 관졸이 된 아이들을 죽 늘여세웠다.

그때 한 아이가 원님 앞에 나와 공손히 절하고 나서 하소연했다.

"나으리, 저는 지금 제 손에 있던 새를 놓쳤습니다. 어떻게 해야 다시 붙잡을 수 있겠습니까?"

예까지 본 박문수는 대단히 흥미있는 놀이라고 생각했다. 마당 귀퉁이에 서서 구경하던 박문수는 살짝 앞으로 나와 토방에 걸터앉았다.

'과연 원님이 된 저 아이는 어떻게 판결할까? 또 내게 저런 하소연이 들어오면 나는…….'

박문수는 원님의 판결이 몹시 궁금했다. 그 녀석의 입매를 바라보고 있는데 아이가 입술을 떼었다.

"새를 놓쳤다는 말이렸다. 아마도 그 새는 산으로 도망갔음이 틀림없으니 그 새를 숨긴 산을 잡아 대령하거라."

박문수는 아이의 판결이 명판결이라고 생각했다. 볼수록 아이가 미더웠다.

박문수는 일어서서 아이 앞으로 나아가 머리를 쓰다듬었다.

"기특한지고, 그래 넌 뉘집 자제던고?"

그러자 원님이 된 아이는 정색을 하며 소리쳤다.

"무엄하도다! 웬놈이기에 감히 관청에 들어와 원을 모독하느냐? 여봐라! 이 놈을 당장 포박하여 감옥에 가두거라!"

"예!"

좌우에 늘어서 있던 관졸이 된 아이들이 우르르 몰려나와 박문수를 결박했다. 그리고는 뒷간으로 데려가 가두는 게 아닌가?

박문수는 아이들의 놀이가 하도 진지해서 나무랄 생각이 없었다.

얼마 후, '원님놀이'에서 원이 되었던 아이가 박문수를 찾아 뒷간으로 왔다. 아이는 공손히 예를 올리고는 말했다.

"무례한 짓 용서하십시오. 아무리 놀이일지언정 진실되게 하는 버릇을 하지 않으면 어른이 된 뒤 법을 허술히 여길까 봐 선비님을 가두었습니다."

박문수는 매사에 진지한 그 아이에게 감동했다. 뒷날 이 아이는 정승의 자리까지 오른 인물이 되었다.

무에서 유를 창조한다

◆

기지를 쓰려 한다면
기쁘게 하기 위해 쓰고, 손상시키기 위해
쓰지 말라.

젊은 청년 하나가 식당가 골목을 터벅터벅 거닐고 있었다. 허름한 옷차림에 굶주린 듯 보였지만 선뜻 한 음식점을 골라 들어가지는 않았다.

그의 주머니엔 땡전 한 푼도 없었기 때문이다. 그렇지만 청년은 이 골목을 자주 드나들었다. 언제나 맛있는 음식 냄새가 그를 반겨주고 있었기 때문이다. 적어도 냄새는 공짜였다. 때론 솔솔 풍겨나오는 냄새를 맡는 것만으로도 배가 불렀다.

이 식당 저 식당을 기웃거리며 서성거리고 있는데 난데없이 개 한 마리가 청년의 옆으로 꼬리를 치며 슬금슬금 다가왔다. 자세히 보니 아주 좋은 사냥개였다.

'값이 꽤 나가 보이는 고급 사냥개인데…… 기름이 자르르 흐르는군.'

이렇게 생각한 청년은 힐끔 한 번 쳐다보고는 계속 걸었다.

그 사냥개는 꼬리를 치며 매우 가깝게 청년의 뒤를 쫄레쫄레 따라왔다.

'어라, 이 사냥개가 날 쫓아오네.'

별로 싫지 않았던 그는 그대로 따라오게 놔두었다.

몇 분 동안을 어슬렁어슬렁 걷고 있던 그 청년에게 한 남자가 다가왔다. 말끔하게 차려입은 신사였다.

"실례합니다. 저어, 참 좋은 개로군요."

신사는 말을 붙여왔다.

"네? 아, 그래요."

잠시 다른 생각에 빠져 있던 청년은 뒤늦게 대답했다.

"이 개를 저한테 파실 의향은 없으십니까? 저는 이 개를 사고 싶습니다."

청년은 잠깐 주저했다.

"좋소, 그렇게 하지요."

"얼마 드리면 될까요?"

"5달러 주시오."

"여기 있소."

개를 산 신사는 어느 음식점으로 들어가버렸다. 신사가 사라지고 난 뒤 몇 분 안 되어서 또 다른 신사 하나가 청년에게 말을 걸어왔다. 급하게 뛰어다닌 듯 숨가쁜 소리를 냈다.

"헉헉, 혹시 내 무릎 정도 오는 크기의 검정 사냥개를 못 보았습니까?"

이렇게 말하면서도 신사는 연신 주위를 둘러보았다.

"글쎄요. 아! 제게 5달러의 돈을 주시면 찾아드리겠습니다."

"아이구, 그렇기만 한다면야. 자, 여기 5달러 있소."

신사는 청년에게 돈을 내주었다.

주머니에 모두 10달러의 돈을 지닌 청년은 처음의 그 신사가 들어간 식당으로 향했다.

"아까 개를 팔았던 사람입니다. 아무리 생각해도 그 개와 떨어진다는 것은 힘든 일이군요. 여기 5달러가 있습니다. 그 개를 다시 제게 돌려주실 수 있겠지요?"

신사는 조금 망설이는 듯하다가 말했다.

"정 그러시다면 하는 수 없군요. 참 좋은 개였는데……."

개를 되돌려받은 청년은 원래 개주인에게 끌고갔다. 신사를 본 사냥개는 활개치며 달려갔다. 신사는 개를 애지중지 끌어안으며 총총 사라졌다.

청년은 그 뒷모습을 쳐다보며 생각했다.

'이것은 전혀 잘못된 돈벌이가 아냐. 5달러를 앉아서 번 셈이 됐군. 그것은 잃어버린 개를 주인에게 찾아준 대가로 받은 거야.'

지혜로써 돈을 번 이 청년은 나중에 미국의 대작가가 되었다. 그의 이름은 마크 트웨인이다.

늘어난 허수아비

◆

뛰어난 인간은
몸을 숨기고 있는 시기가 필요하며,
그때에 함부로 움직이면 도리어
실패한다. 따라서
명리(名利)를 바라지 않으며, 불평을 품지 않고,
착실히 나의 길을 지켜가야 한다.

"선거 때 쓰는 자금이 없어야 선거 후에 따르는 부정을 없앨 수 있습니다."

가난한 시골 농부처럼 검정색 무명옷을 입은 잠룽은 이길저길 뛰어다니며 선거운동을 벌였다. 다른 후보들은 금권을 앞세워 요란한 선거운동을 할 때, 그는 좋은 종이로 벽보 한 장 붙이지 못했다. 그는 몸으로 뛰어다니며 자신의 정치관을 피력할 뿐이었다.

개중에 홍보다운 홍보는 타후보들이 입간판과 현수막을 세울 때, 그 옆에 허수아비를 세운 일이었다. 매직펜으로 '잠룽을 뽑자.'라는 표어를 앞뒤로 붙인 잠룽의 허수아비는 타후보들의 휘황찬란한 입간판 옆에 의연하게 서 있었다.

당시 방콕은 정치가들의 부정과 부패에 환멸을 느낄 정도였다. 시민들은 차츰 정치 허무의식에 젖어들었고 공직자하면 뇌물을 먹는 불가사리쯤으로 여겼다.

그런데 날이 갈수록 이상한 일들이 일어났다. 잠롱의 허수아비들이 눈에 띄게 늘어난 것이다. 하룻밤새 우후죽순처럼 허수아비들은 숫자 경쟁이라도 하듯 죽죽 늘어만 갔다.

암묵적으로 잠롱을 지지하는 사람들이 그 의지표명으로 허수아비를 세운 것이다. 영웅부재의 상황에서 다른 형태의 신화를 창조하듯 시민들은 잠롱을 청렴 결백의 화신으로 신화화시켰다. 잠롱은 방콕 시민들의 가슴 속에 서서히 자리잡아갔다.

잠롱 시므앙, 그는 시민들의 바람대로 드디어 방콕 시장에 당선됐다.

타인을 추켜올리고 자신을 낮춰라

◆

제왕은
자신의 약점을 폭로한 순간, 자신을 본 사람을
용서하지 않는 법이다.

1909년 구라파 대륙을 뒤흔들고도 남을 만한 놀라운 사건이 벌어졌다.

독일의 황제 빌헬름 2세가 전세계 사람들을 깜짝 놀라게 한, 믿어지지 않는 말을 발설한 것이다.

그는 이치에 닿지도 않는 제멋대로인 폭탄선언을, 영국의 국빈으로 초청 방문하고 있을 때, 공공연히 발표함으로써 사태는 더욱 악화되었다. 〈데일리 텔리그라프〉에 게재된 그 폭탄선언의 내용은 이러했다.

"영국을 친선 국가로 생각하고 있는 것은 독일 사람 중에 오직 나뿐이다. 해군을 증강하고 있는 것은 일본의 위협에 대비하기 위해서이며, 오직 나만이 영국을 러시아와 불란서에 의한 멸망으로부터 구해냈으며 영국의 로버트 경으로 하여금 남아프리카의 보아즈를 격파시킬 수 있게 한 것이 다름아닌 나의 계획 덕택이다.…….”

실로 놀라운 발언이 아닐 수 없다. 백여 년에 걸친 평화스러운 시대에 구라파 제국의 어느 왕의 입에서도 이토록 기상천외한 말이 떨어진 적은 없었다. 온 구라파 대륙은 벌집을 쑤셔놓은 듯이 들끓었다. 영국은 격분하고 독일 정치가들은 어리둥절했다.

전구라파의 곳곳에서 비난의 화살이 쏟아졌다. 독일 정치가들은 외교로 이러한 사태를 무마하려고 했다.

이 분노의 소용돌이 속에서 거만하고 도도한, 카이젤의 마지막 후손인 빌헬름 2세는 두려운 나머지 당황하였다.

하는 수 없이 궁내대신(宮內大臣)으로 있던 본 블로우 왕자에게 이렇게 말했다.

“블로우, 어떻게 좀 도와주게. 저 빗발치는 항의 좀 보게. 이보게, 이 커다란 실언에 대한 책임을 대신 져줄 수 없겠나? 내 이렇게 부탁함세, 응? 자네한테 이번 일의 모든 책임이 있으며, 자네가 바로 국왕에게 이 믿을 수 없는 말들을 발표하도록 건의한 사람이라고 해명해주게, 부탁이네!”

“하지만 폐하, 독일이나 영국의 어느 누구도 제가 폐하께 이런 말을 하도록 건의할 수 있으리라고 생각하는 사람은 단 한 사람도 없을 것이옵니다.”

본 블로우 왕자는 이렇게 반대 의사를 표명했다. 말을 끝내자마자 그 순간 그는 퍼뜩 정신이 들었다.

‘아차! 내가 중대한 실수를 하고 말았구나.’

그러나 때는 이미 늦었다.

카이젤은 대노하여 소리쳤다.

"뭐라구? 내가 과오를 범하지도 않은 너를 망쳐버릴 만큼 어리석은 줄 아느냐?"

본 블로우는 생각했다.

'카이젤에게 맞서기에 앞서 그를 칭찬해주었어야 했을 것을……. 어쩔 수 없다. 때는 이미 늦었다. 차선(次善)의 방법을 써봐야지!'

차선의 방법이란 무엇인가?

그것은 나무람을 한 뒤에 칭찬하는 방법이었다.

한껏 존경심에 넘치는 태도로 이렇게 대답했다.

"저는 그런 일을 건의할 자격이 없사옵니다. 폐하께서는 그 위세를 세계에 능히 떨칠 수 있는 자랑스런 육해군을 증강하고 계시고, 육해군에 관한 지식 뿐만 아니라, 특히 자연과학에 있어서도 여러 모로 저와 비교할 수 없을 만큼 뛰어나십니다. 저는 폐하께옵서 청우계(晴雨計)나 무선전신이나 뢴트겐 광선(x—ray) 등에 관하여 설명하시는 것을 몇 번이나 존경의 마음으로 경청한 적이 있습니다. 저는 부끄러울 만큼 자연과학 부문의 여러 가지 일들에 관하여 무지(無知)하고, 과학이나 물리학에도 조예가 얕을 뿐 아니라 단순한 자연현상조차도 이것을 설명할 능력을 가지지 못하고 있사옵니다. 그러나 그 대신 사학(史學)에 관한 지식과 정치 특히 외교에 활용될 수 있는 지식은 가지고 있다고 자부합니다."

과연 이 방법은 으레 칭찬의 결과가 그러하듯이 기적적인 효과를 나타냈다.

이 말에 빌헬름 2세는 미소를 띠었다.

"우리는 서로 도와서 서로 위대한 사람으로 완성시켜야 한다고 내가 말해오지 않았느냐. 우리는 서로 의지해야 돼, 암 그렇구말구.”

빌헬름 2세는 본 블로우의 손을 잡고 몇 번이고 흔들었다. 그리고는 대단히 흥분한 채 주먹을 휘두르며 이렇게 소리쳤다.

“어느 누구라도 본 블로우 왕자에 대하여 이러쿵저러쿵 나에게 말하는 자가 있으면 콧등을 후려갈길테다.”

은근한 태도는 마음의 상찬을 차린다

◆

훌륭한 급사장 밑에
반드시 훌륭한 급사들만 있으라는 법은 없지.
먼저 그를 이해하고
감사의 말부터 전해야지.

"에미일, 잘 들어주세요."

"무슨 일이신가요, 부인?"

"며칠 후에 손님들이 오실 거예요. 조촐한 오찬회를 열려고 하니 몇 사람 분의 음식을 준비해줘요."

에미일은 솜씨 좋은 급사장이었다. 부인은 파티가 있을 때마다 모든 일을 맡기곤 했다.

"나한테는 보통 손님들이 아냐. 아주 귀한 손님뿐이어요. 접대에 소홀함이 없도록 세심한 주의를 부탁해요."

"네, 잘 알았습니다 부인."

에미일은 그날 오찬회를 준비하지 못했다. 사고가 났기 때문이었다. 대신에 다른 급사를 하나 보내왔다.

"저어, 에미일 대신에 왔는데요."

“앉으세요.”

“에미일한테서 이야기 들었겠지만, 아주 특별한 손님들이 오실거니까, 잘 좀 부탁해요.”

그런데 그 급사는 아주 엉터리였다. 아무짝에도 쓸모없는 그런 급사였다.

“아니, 이봐요. 주빈에게 음식을 맨 나중에 갖다드리면 어떡해요? 앙! 정말 짜증나네.”

한두 가지가 아니었다. 다연발 총이라도 쏘듯 실수 연발이었다.

“도대체 어쩌란 말야, 이렇게 큰 접시에 조그마한 샐러드를 덜렁 놓으면. 어떻게 해서 에미일은 이런 급사를 보냈담, 아잇!”

고기는 질기고, 감자는 기름 범벅, 음식이 엉망이었다. 뭐하나 제대로 잘 나온 코스가 없었다.

사교계에서 유명한 도로디 데이 부인은 화가 머리끝까지 치밀어올랐다. 견딜 수 없었다. 그것을 참고, 웃는 얼굴을 보여주어야 하는 괴로움은 고문이나 마찬가지였다.

“다음에 에미일을 만나면 단단히 꾸중을 해주어야겠어. 어디 만나기만 해봐라.”

단단히 벼르고 있던 부인은 차츰 시간이 지남에 따라 마음이 변하기 시작했다.

‘에미일을 일방적으로 책망해도 소용이 없다. 그의 화를 돋구면 다음부터는 절대로 내 일을 맡아서 돌봐주지 않을거야.’

데이 부인은 급사장 에미일의 입장에서 한번 생각해보기로 했다.

‘그래, 요리의 재료를 사온 것도, 그것을 조리한 것도 에미일이 아니야. 훌륭한 급사장 밑에 반드시 훌륭한 급사들만 있으라는 법은 없지. 좀 시원치 않은 사람도 있기 십상인걸 뭐.'

부인은 자신의 참을성 없는 성품을 탓했다. 그러는 가운데 어느새 맺혔던 마음도 풀어졌다.

'급사장을 책망하지 말고 순순히 이야기해보자.'

부인은 먼저 그에게 감사의 뜻을 표해야겠다고 작정하였다. 이 방법은 놀라운 성과를 보여주었다.

그 다음날 에미일을 만났다. 전날의 엉망이 된 파티 소식을 알고 있는 에미일은 부인에게 경계의 눈빛을 하고 잔뜩 찌푸린 채 싸움이라도 걸어올 표정이었다.

"이봐요 에미일, 자네는 우리집 파티에 없어서는 안 될 사람인가봐. 자넨 뉴욕에서 제일 가는 급사장이라고 할 만하지. 물론 재료의 구입이나 조리는 자네 책임이 아니지. 그래서 요전 수요일과 같이 실수가 생기기도 하지만 할 수 없는 노릇이지."

"하하 그렇구말구요. 마님, 그 요리사가 나빴기 때문이지 제 책임은 아니에요."

에미일은 아까와는 달리 얼굴에 홍조를 띠우며 밝게 웃었다.

"에미일, 실은 내가 또 파티를 계획하고 있는데, 아무래도 자네가 도와주지 않으면 안 되겠네. 또 그 요리사를 시켜도 되겠나?"

"아무렴 틀림없습니다. 마님, 그런 실수는 두 번 다시는 없겠지요."

그 다음주에 부인은 또 오찬회를 열었는데 식단은 에미일과 상의하여 만들었다. 지난 일은 일체 물에 흘려보내고, 그의 의견을 충분히 들어주었다. 회장 안의 테이블은 아름다운 장미꽃으로 장식되었고, 에미일이 줄곧 손님들을 시중했다. 여왕님을 초대했어도 그렇게 훌륭한 서비스는 바라기 힘들었을 것이다.

요리는 맛있었고, 서비스는 만점, 급사도 요전번과는 달리 네 사람의 시중이었다. 거기에다가 에미일이 직접 요리를 나르기도 했다.

"댁에서는 저 급사장에게 무슨 요술이라도 부리신 모양이지요? 이렇게 훌륭한 서비스를 받아보기는 처음이에요."

그날의 주빈은 귓속말로 도로디 데이 부인에게 말했다.

웃음

공포나 미신
그밖의 다른 감정에 의하여서도
동요하지 않고 안정을
유지할 수 있는 상태…….

데모크리토스는 항상 웃는 얼굴이었다.
그가 살던 고향 압데라 사람들은 소아병적 사고에 젖어 있었다.

압데라 사람들은 항상 웃고 다니는 데모크리토스가 미치광이일 거라고 생각했다. 그들은 이해할 수가 없었다. 그래서 미치광이의 광폭한 행동을 미연에 방지할 작정으로 히포크라테스에게 이 철학자의 치료를 의뢰하였다.

처음에 히포크라테스는 데모크리토스에게 살아 있는 동물에게 하는 충격요법을 사용하였다. 그러자 데모크리토스는 그 실험에 응하고 나서,

"이것은 두 번 다시 사용해선 안 될 원시적인 방법이군요."
라고 말했다. 히포크라테스는 어째서 원시적이라 하느냐며 따

지듯이 물었다.

데모크리토스는 배시시 웃었다.

"당신은 의사로서 압데라 사람들을 믿고 있소."

데모크리토스는 자리를 훌훌 털고 일어나 히포크라테스의 집을 나섰다.

히포크라테스는 압데라 사람들에 대해 곰곰 생각해봤다.

희극을 보면 울고, 비극을 보면 웃고, 외국의 소식을 보거나 들을 기회를 만나면 그런 것을 비웃고, 다른 세상과의 접촉이 없는 처지들을 오히려 행복하다고 느끼는 사람들…….

히포크라테스는 그 일이 있은 후에 데모크리토스의 집에 함께 머물면서 그의 지혜와 지식을 이해하기로 결심했다.

유쾌한 철학자 데모크리토스와 교유하면서 히포크라테스는 그의 철학을 의학에 적용하였다. 히포크라테스는,

"실제로 약이 필요한 사람은 압데라 사람들이지 데모크리토스는 아니다."

라는 말을 했다가 갖은 수모를 당하고 압데라에서 쫓겨났다.

데모크리토스는 늘 인생살이의 비결은 유쾌함이라고 생각했다. 그것은 공포나 미신 그밖의 다른 감정에 의하여서도 동요하지 않고 안정을 유지할 수 있는 상태이라고…….

자신을 책임지다

◆

내가 심했다면
용서해주게. 난 그저 자네 스스로 살아나길
바랐을 따름이네.

"살려주세요."

수렁에 빠진 한 남자가 필사적으로 허우적거리며 밖으로 나오려 하고 있었다.

"이봐! 나 좀, 나 좀 살려주게."

진흙더미 속으로 쑥쑥 빠져들어가는 몸을 가누며 겁에 질린 다급한 목소리로 동행한 친구를 불렀다.

그들은 사냥 중이었다.

코앞에서 멀어져가는 여우를 쫓다가 그만 수렁에 빠져버린 것이다.

앞장 서서 급하게 발걸음을 옮기던 친구는 비명처럼 들려오는 친구의 목소리에 고개를 홱 돌렸다.

상황은 다급했다. 그러나 곤경에 빠진 친구를 그냥 쳐다볼 뿐 이렇다 할 어떠한 행동도 하지 않았다.

설상가상으로 수렁에 빠진 남자는 점점 더 깊숙히 빠져들어 갔다. 친구의 도움을 받기를 체념한 듯 그는 수렁가에 멀거니 서 있는 친구에게 악담을 퍼부어대기 시작했다.

"이봐, 자넨 친구도 아냐. 어쩜 친구가 죽어가는데 그렇게 서 있지. 자네 같은 친구를 만난 게 내 생애 최대 실수였네. 내가 혹시 살아난다면 자네와 결투를 벌이겠네. 난 억울해서라도 이대로 죽을 순 없어."

악이 받칠 대로 받친 그는 소리를 질러댔다. 그러다가 눈물을 질끔거리며 애원하기도 하고…….

그러자 멀쩡한 친구는 수렁 가까이로 다가왔다. 그리고는 드디어 말을 꺼냈다.

"안 되겠네. 자네를 살리려다가 어쩌면 나도 죽을 지 모르네. 미안하네, 자네를 그냥 그렇게 놔둘 수밖에."

그는 기가 막혔다. 저런 무정한 사람을 친구로 두었다고 생각하니 하늘이 무너져내릴 듯했다. 도저히 용서할 수 없었다.

"내 마지막으로 자네를 돕겠네. 고통을 덜어줌세. 빨리 죽어버리게."

비정한 친구는 사냥에 쓰던 엽총을 수렁 속 친구의 머리에 겨누었다.

일촉즉발의 위기의 순간이었다.

수렁 속의 그는 사색이 되어 소리 질렀다.

"여보게, 알았네 알았어. 제발 그 총을 거두어주게. 내가,나 혼자서 나가겠네."

혼신의 힘을 다해 살아나려고 애쓰기 시작했다. 잘 되지는 않았다. 그러나 죽을 힘을 다해서 기를 썼다. 한쪽 편에 넝쿨

줄기가 놓여 있었다. 잡았다. 훨씬 쉽게 빠져나올 수 있었다. 간신히 살아난 그는 진흙범벅이 된 몸을 움직여 씩씩거리며 비정한 친구에게로 왔다.

"마침내 살아났군. 미안하네. 내가 심했다면 용서해주게. 난 그저 자네 스스로 살아나길 바랐을 따름이네."

이렇게 비스마르크는 말했다. 이 말에 오해를 푼, 생사를 오락가락 하던 친구는 군말 없이 결투를 취소했다.

임무

◆

한 나라의 국왕으로서
백성의 하소연에 귀를 기울일 시간이 없다니,
그러시다면
국왕으로서의 자격도 없는 것이겠군요.

마케도니아의 필립포스 왕에게 눈물로 호소하는 한 노파가 있었다. 날이면 날마다 찾아와 하소연했다.

"대왕마마! 저의 억울한 사연을 들어주시옵소서. 사기를 당해 제가 입은 피해는 정말 막심합니다. 부디 저의 분통함을 풀어주시옵소서."

"저의 억울함을 들어주시옵소서."

필립포스 왕은 별로 대단치 않게 생각했다. 이런 식의 호소는 이따금 있었기 때문이다.

들은 척도 안했건만 계속 찾아왔다. 집무실 한켠에 볼썽 사납게 쭈그리고 앉아 있는 노파를 날마다 대하려 하니 짜증이 났다.

다른 일도 많은데 이런 사소한 일에까지 직접 나서서 해결할 수는 없지 않는가?

필립포스는 노파를 향해 짜증섞인 목소리로 말했다.

"나의 귀중한 시간을 틈내서까지 재판할 성질의 일이 아니니 그만 물러가라. 지금은 나라를 위한 일이 급하다. 바빠서 그 청을 들어줄 여유가 없구나, 으험."

그러나 선뜻 물러설 노파가 아니었다.

"대왕마마, 다시 한 번 생각해주십시요. 정말 억울한 일입니다."

"물러가래두, 허허 참."

"오죽하면 제가 하늘 같으신 대왕마마께 직접 아뢰겠습니까? 재판을 하여 주십시오. 재판을……."

울부짖듯 간곡하게 호소하는 노파였다.

하지만 참는 데 한계를 느낀 필립포스 왕은 화를 벌컥 내었다.

"아니, 왜 이리 성가시게 구느냐? 그만 물러가라면 갈 것이지. 지금은 다른 일로 바빠서 개인의 사정을 살필 수 없대도! 어서 당장 물러가거라!"

그러나 이러한 왕의 노여움에도 노파는 눈썹 하나 끔쩍하지 않았다. 쉽게 뒷전으로 물러날 태세가 아니었다.

오히려 엄숙한 표정과 말투로 필립포스 왕을 꾸짖듯 말할 뿐이었다.

"그렇습니까? 폐하는 지금 한 나라의 국왕으로서의 사무를 처리할 시간이 없다는 것이군요! 그러시다면 국왕으로서의 자격이 없는 것이 아니겠습니까?"

너무나도 당돌하게 머리를 빳빳이 들고 말했다. 그 기세에 잠시 할 말을 잃은 왕은 잠시 눈을 감고 생각에 잠겼다.

이윽고 감았던 눈을 뜬 그는 노파에게 다가갔다.

"짐의 잘못이 크다. 당연한 말을 그대는 한 것이다. 어디 그대가 당한 그 억울한 사연을 한번 들어보세."

사건의 내용을 들은 왕은 곧 재판을 열었다.

이후로 필립포스 왕은 아무리 시간이 없어도 소송 건이 있으면 즉시 재판을 열었다.

칭찬에 인색한 음악가

◆

좋은 충고를
해줄 만큼 분별이 있는 사람은
보통 충고를 받지 않을 정도로
분별력이 있는 사람이다.

연주는 시작됐다. 음의 고조는 놀라웠다. 때로는 잔잔하게, 때로는 강하게, 그 리듬은 사람의 마음을 감동시키고 영혼까지 흔들어 깨우는 훌륭한 연주였다. 아무리 칭찬에 인색한 음악가라도 한번쯤 감탄사를 늘어놓을 연주였다.

작은 콘서트는 끝났다.

"짝짝, 좋은 연주였어."

도이칠란트의 작곡가인 요한 세바스찬 바하는 만족의 박수를 쳤다.

그런데 바하와 같이 연주를 지켜보던 한 음악가는 가만히 무표정한 얼굴을 할 뿐이었다. 칭찬의 말이나 박수소리조차 내지 않았다.

바하는 무표정한 그를 돌아보며 동의의 언질을 요구하듯 물었다.

"어떻습니까? 내 사랑스런 제자 쿠라우제의 연주 솜씨가."

"글쎄요, 저 정도의 연주 솜씨라면 우리 나라에서는 어린 아이라도 충분히 할 수 있습니다. 전 좀더 좋은 연주를 듣고 싶었는데……."

그는 남을 비아냥거리는 데 남다른 재주가 있었다. 자신의 음악적 실력은 대수롭지 않았다. 그런데도 마치 굉장한 실력자라도 되는 것처럼 거들먹거릴 뿐만 아니라 다른 음악가를 지나칠 정도로 비판하는 못된 버릇을 가지고 있었다.

'참으로 나쁜 버릇을 가지고 있는 음악가이다. 내 언젠가 그런 못된 버릇을 고쳐주리라.'

바하는 굳게 다짐하며 그날이 오기를 단단히 별렀다.

그러던 어느 날이었다.

바하 자신의 친구이며 스승인 요한 루드비히 쿠레프스가 방문했다. 그는 세계적으로 유명한 오르간 연주자였다.

"쿠레프스, 부탁이 있어요. 저는 나쁜 버릇을 가지고 있는 한 외국인 음악가를 알고 있는데 그를 꾸짖어주려고 합니다. 그런데 당신의 도움이 필요해요. 허락해주시겠습니까?"

"물론 도와주고말고, 바하."

연극은 시작되었다. 쿠레프스에게 바하는 마부의 옷을 입혔다. 그리고는 그 음악가를 초청했다.

"우리 이웃에 오르간 연주를 할 줄 아는 마부가 있지. 마침 그가 여기에 와 있으니 그의 연주를 한번 들어보세."

마부는 머뭇머뭇 주저하는 기색이 역력했다. 자기는 연주하기 귀찮다는 표정처럼 보였다. 마지못해 연주를 하는 듯 오르간 앞으로 다가갔다. 드디어 연주는 시작됐다.

장엄한 오르간 소리는 점점 방안에 있는 사람들을 감동시켰다. 오르간에서 나오는 소리는 허공을 춤추듯 사람의 몸을 들뜨게 하고, 영혼마저 들었다 놨다 황홀케 했다.

그때 바하는 보았다. 콧대 높은, 오만하던 얼굴이 점점 누그러져가는 것을. 그리고 마침내는 감동에 젖어서 놀라움을 금치 못하는 표정으로 바뀌어가는 것을.

능수 능란하던 오르간 연주가 끝났다. 평소 비아냥거리는 일표현으로 말이 없던 그 음악가는 이번에는 감동으로 인해서 말이 없었다.

멍한 눈과 다물어지지 않은 입 모양을 하고 잠시 동안 그대로 앉아 있는 것이었다. 바하는 그에게 말했다.

"뭐 별것 아니랍니다. 우리 나라에서는 마부라도 보통은 다 저 정도는 능히 칠 줄 알지요."

이 사건 이후로 그 음악가의 입에서는 지나치게 비약된 잘못된 비평 태도는 찾아볼 수 없게 되었다.

구두닦기 대통령

세상에는
치사한 직업은 없고 단지 치사한 사람이
있을 뿐이다.

아침 일찍 백악관 내 대통령 집무실을 향해서 발걸음을 서두르는 한 사람이 있었다. 바로 대통령의 직속 비서였다.

층계를 몇 계단 올라 집무실이 정면으로 보이는 복도에 다달았다. 그가 이렇게 아침 일찍 서두르는 것은 급한 보고 사항이 있기 때문이었다.

복도를 향해 걸어가고 있는 그는 한 남자를 발견했다. 구부정한 모습으로 무엇인가를 하고 있었다.

자세히 살펴보니 그는 자신의 구두를 열심히 닦고 있었다.

'에잇, 웬 구두를 집무실 앞에서 닦는담.'

혀를 끌끌 차며 그대로 지나치려 했다. 그러나 낯익은 실루엣이었다. 구부정 구부린 탓에 얼굴은 보이지 않았으나 대번에 그가 누구라는 것을 직감할 수 있었다. 맙소사! 비명이 나올 것 같았다. 바로 자신이 뵙고자 하는 아브라함 링컨 대통령이 아닌가?

"아니 대통령 각하, 지금 무얼하고 계시는 것입니까?"

"아, 자네군. 보시다시피 구두를 닦고 있네."

"각하, 각하께서는 이 나라의 대통령이십니다. 그런 귀한 몸으로 친히 구두를 닦다니요."

"더구나 지금은 각하를 힐난하는 적들이 많은 때이옵니다. 만약 그들 중 하나가 각하의 이런 모습을 본다면 당장 세인의 웃음거리요, 가십거리로 퍼져 평판이 나쁘게 될 것입니다."

링컨은 이런 말에도 개의치 않고 하던 일을 계속 했다.

"정치적으로 적대시하는 자들이 대통령으로서의 품위가 없다고 떠들어대고 있지 않습니까? 각하, 대통령의 신분으로는 그런 잡일이 어울리지 않습니다."

이윽고 구두닦는 일을 다 마친 듯 구부린 등을 바로 편 링컨은 자신의 비서에게 웃으며 말했다.

"어째서 내 신발을 내가 직접 닦는 것이 격에 어울리지 않는다는겐가. 그건 자네의 잘못된 생각일세. 전혀 부끄러운 일이 아니야. 알겠나? 직업에는 귀천이 없는 것이고, 모두 다 자신의 일은 자신이 하는 것이라네. 그런데 자네는 아침 일찍 무슨 일인가?"

달리 대답이 없던 그는 자신이 급한 용무로 왔다는 것을 생각해냈다.

"급한 보고 사항이 있어서……."

아브라함 링컨은 말했다.

"어서 빨리 들어오게. 진작에 이야기를 했어야지……."

제2장

한 송이 꽃에서 배운 교훈

사람은 기회가 오는 것을 기다릴 것이 아니라
몸소 그것을 만들지 않으면 안 된다.

나의 첫무대는 어머니의 마지막 무대였다

◆

사람은
기회가 오는 것을 기다릴 것이 아니라
몸소 그것을 만들지 않으면
안 된다.

한나는 런던에서 그리 멀지 않은 올더 쇼트의 밤무대 가수로 출연중이었다. 그녀가 젊었을 적에는 제법 고운 목청을 돋구곤 했는데 이젠 음색이 변하여 무대에 서기 힘들었다. 아니 갈수록 노래할 무대를 제공받지 못했다는 표현이 더 옳을 듯싶다. 무대 감독들 사이에 퇴물처럼 소문난 것이다. 그러나 남편과 사별한 그녀가 두 아이와 굶지 않고 살아남기 위해서는 끊임없이 무대를 찾아야만 했다.

그날도 다섯 살짜리 아들 녀석의 손을 잡고 극장에 왔다.

그날따라 한나의 목소리는 더욱더 불안정했다. 관객의 소란스러움은 가는 떨림을 가려주었지만 무대 뒤의 감독과 아들의 손엔 땀이 흥건히 배일 정도였다.

갑자기 찢어지는 듯한 목소리가 극장 안의 좌석 사이사이로 퍼져나갔다. 갑자기 목이 쉰 것이다.

"집어치워!"

"가수를 바꿔라!"

"그걸 노래라고 해!"

야유 소리가 끊이지 않았다. 한나는 죄송함의 뜻으로 고개를 수그리며 다시 한 번 시도하려 했으나 관객들은 허용하지 않았다.

어쩔 줄 몰라하는 한나를 감독은 무대 위에서 끌어내렸다. 그리고 그의 다섯 살 난 아들을 무대 위로 끌어냈다. 그 아들이 노래 부르는 걸 감독이 본 적이 있었기 때문이다.

무대 위에 홀로 남게 되자 아들은 얼마 전에 배운 노래를 부르기 시작했다. 관객들의 환호성과 함께 동전이 소나기처럼 쏟아졌다.

다섯 살짜리 꼬맹이는 동전이 쏟아지자 정신을 차릴 수가 없었다. 그 동전으로 사야 할 것들이 머리 속에 파노라마처럼 펼쳐졌다.

'빵, 사과, 고기, 신발…….'

그 순간 노래를 멈추고 돈을 주웠다. 그리고 나서 덥썩 절을 했다.

"또 노래를 부르겠습니다."

여기저기서 관객들이 웃기 시작했다. 감독은 손수건을 가지고 나와 돈 줍는 것을 거들었다.

'혹시 감독이 이 돈을 전부 차지하는 건 아닐까?'
라는 생각에 감독의 꽁무니를 엉거주춤 따라다녔다. 그런 걱정은 관객들에게 전달되어 웃음소리는 높아만 갔다. 그건 노래를 위한 무대가 아니라 희극을 위한 무대인 듯했다.

관객들의 폭소 따윈 아랑곳하지 않고 종종걸음치며 감독을 따라갔다.

어떠한 불행과 재액에도 견디어내는 힘을 가진 찰리 채플린, 그는 그날 밤이 그의 첫무대인 동시에 어머니에게는 마지막 무대가 되었다.

열한 살의 찰리가 〈셜록 홈즈〉의 빌리 소년 역을 맡을 때이다. 각색자인 윌리엄 지렛트가 각본을 들고 찰리를 불렀다.

"넌 글을 읽을 수 있지?"

더욱 당당하게,

"네."

라고 대답했다.

"그래, 글도 못 읽는 사람에게 대본을 줄 수 없지. 찰리야, 대본을 줄테니 대사를 모두 외워오너라."

실은 찰리는 읽고 쓸 줄 몰랐다. 그러나 그는 기회를 놓치고 싶지 않았다. 그래서 넉살 좋은 열한 살의 소년 찰리는 덥썩 대본을 받은 것이다.

꼭 죄인 웃옷, 헐렁한 바지, 지팡이, 그리고 실크 해드로 연상되는 대 희극인 찰리는 집으로 돌아오자마자 어머니에게 대본을 내밀었다.

"어머니, 읽어주세요. 잘하면 빵을 살 수 있을 거예요."

찰리는 밤낮을 헤이지 않고 어머니에게 읽히고 읽혀 대사를 외웠다.

휠체어의 천재 물리학자

◆

앉아서 죽음을
기다릴 필요는 없지.
어쩜, 그들의 진단이 엉터리인지도 몰라.
죽을 때 죽더라도…….

새들이 즐겁게 지저귀는 1974년의 화창한 봄날이었다. 런던의 세인트 루이스 공원을 내려다보고 있는 장엄한 건물의 돌계단을 힘겹게 올라가고 있는 사람들이 있었다.

모두가 세련된 정장을 한 청년들이었다. 그들은 양쪽에서 휠체어를 들고 있었다.

"스티븐, 가슴이 떨리지 않는가?"

그들 중의 한 사람이 휠체어에 실려 있는 청년을 보고 물었다. 그러자 고개가 돌아가고 입이 틀어진 그 청년은 대답 대신 애써 웃음을 지었다.

그 청년은 영국 최고의 영예로 꼽히는 왕립협회의 회원 임명장을 받기 위해 계단을 오르고 있는 중이었다.

이날 스티븐 윌리엄 호킹은 32세의 젊은 나이에 왕립협회의 회원이 되었다. 학회사상 최연소 회원이었다.

컴퓨터로 조작된 기계음을 내는 호킹은 선천적인 불구는 아니었다. 옥스퍼드 대 캠브리지의 경기에도 출전했던 활달한 청년이었다.

옥스퍼드 출신인 그의 아버지는 아들의 고교성적이 좋지 않아 걱정이 많았다. 그러나 호킹은 물리 과목에 만점을 맞으며 옥스퍼드 대학에 합격했고 패기만만한 청년으로 대학생활을 보냈다.

불행은 도둑처럼 어느 날 갑자기 그를 덮쳤다. 캠브리지 대학원 석사 1학기 때부터 그 병의 증상은 보이기 시작했는데, 많은 의사들이 고개를 살래살래 흔들었다. 의학으로는 어쩔 수 없는, 사실상의 사형 선고였다.

호킹은 하늘이 와르르 무너져내린 듯한 충격을 받고 절망에 빠졌다. 준비하던 학위논문을 팽개치고 삶을 포기했다.

“왜, 왜 내가 이런 병으로 죽어야만 한단 말입니까?”

하늘을 향해 저주를 하고 곤드레만드레 취하여 세월을 보냈다. 아들의 그런 모습을 지켜보는 아버지의 마음도 괴롭기가 이루 말할 수 없었다.

“스티븐, 그런 모습으로 삶을 마감하기에는 너의 젊음이 너무 아깝지 않니? 너의 인생이 더욱 초라해지는 것이 아니겠니? 죽는다는 생각을 잊고 학위논문을 완성하는 것이 좋지 않겠니?”

아버지는 눈물로 아들의 고통스런 방황을 말렸다. 그러나 호킹의 귀에 그 말이 담길 리는 만무했다.

그러는 동안에도 무심한 세월이 흘렀다. 웬일인지 의사들이 죽음의 시간으로 규정한 그날이 훌쩍 지났고, 또 1년이나 더 흘렀다. 몸이 나은 것은 아니었지만 죽은 것도 아니었다.

"내가 왜 죽지 않고 있지? 의사들의 말에 따른다면 1년 전에 벌써 죽었어야 하는데……."

자포자기로 살던 그는 문득 이런 생각을 했다.

'앉아서 죽음을 기다릴 필요는 없지. 어쩜, 그들의 진단이 엉터리인지도 몰라. 죽을 때 죽더라도…….'

그후 그는 일신해서 논문 완성에 혼신의 정열을 쏟았다. 마침내 논문은 완성되었다. 논문이 완성된 후에도 꾸준히 연구를 거듭했다. 그리하여 스티븐 호킹이라는 이름을 시간의 역사, 우주학 속에 깊숙히 뿌리내린 것이다.

포기하지 않았을 때는 아직 패배가 아니다

아직까지
목장을 만들지는 못했지만
포기하지 않고 노력하면 언젠가는 분명히
목장이 만들어질 것이라고 아버지도 나도
믿고 있네.

스코틀랜드의 한 유능한 젊은 의사가 병이 들어 6개월 동안 요양을 해야만 했다. 요양원을 향해 걸어가는 그의 뒷모습이 황량하기만 했다.

"허참, 병든 사람을 치료하던 내가 병이 들다니……."

요양원에 들어간 그 의사는 한동안 허탈감에 빠져 있었다. 그러던 어느 날, 불현듯 꿈의 요동이 일어났다. 그것은 다름아닌 집필에 대한 의욕이었다.

'지금이 아주 좋은 기회다. 내가 지금 앓고 있는 이 병을 치료하기 위해서 6개월이라는 적잖은 세월이 필요하다. 그 시간을 그냥 보내버리기에는 너무도 아깝다. 그래, 이 기회를 놓치지 말고 멋진 소설을 하나 쓰자. 아니 반드시 쓰고 말겠어!'

이런 생각을 한 그 의사는 당장 마을 상점에 가서 원고지와 만년필을 샀다.

요양원으로 돌아온 그는 온종일 책상머리에 앉아 있었다. 그러나 안타깝게도 영감은 떠오르지 않았다. 머리칼을 쥐어뜯으며 착상을 가다듬었지만 원고지는 백지 상태로 그를 조롱하는 것만 같았다.

"내가 글을 쓴다는 것은……."

저녁이 되었을 때, 결국 그는 자신의 생각이 얼마나 어리석은 것이었던가를 느끼기 시작했다.

그러나 그 순간 아득한 옛날, 학교 선생님의 충고가 떠올랐다.

'머리 속에 떠오른 것이 있다면 먼저 종이에 써라. 그것이 네 머리 속에서 멈추고 말면 그것은 아무것도 아닌 것이 된다. 써라, 그것을 써라!'

이 말을 상기하자, 그의 식어가는 정열은 또다시 불탔다. 생각이 떠오르는 것을 미친 듯이 썼다. 이렇게 하여 석 달 동안을 원고지와 혼신의 정열로 씨름했다. 쓰고, 다시 쓰는 반복의 나날이었다.

소설의 절반쯤을 썼을 때였다. 앞서 썼던 자신의 글을 읽어보니 도무지 만족할 수 없었다. 구성이 엉성하고 문장이 엉터리처럼 생각되었다.

'역시 나는 글 쓰는 재능은 없어. 재능도 없으면서 글을 쓴다는 것은 미친 짓에 불과해. 숱한 밤을 새워가며 쓴 글이 내가 읽어도 형편없는데…….'

그는 결론을 내렸다.

"모두 다 여름 밤의 꿈처럼 소용 없는 짓이었어. 그 누구도 이 따위 글을 읽을 리가 없어!"

그는 독백을 하고 나서 쓰레기통에 원고를 던졌다. 그리고 축축하게 내리는 빗속으로 허탈한 걸음을 옮기기 시작했다.

얼마쯤 걷다 보니 산책을 즐기던 호숫가가 나왔다. 거기에는 늙은 농부 한 사람이 밭뙈기의 도랑을 파고 있었다.

그도 안면이 있는 농부였기에 곁으로 다가가 인사를 했다.

"아, 의사 선생! 소설은 잘 써지고 있나요?"

늙은 농부가 얼굴 가득 웃음을 담았다. 그러자 그가 심드렁하게 대답했다.

"포기했어요. 저에게는 소설가의 재능이 없다는 것을 오늘에야 비로소 깨달았어요. 그래서 쓰레기통에 원고를 버리고 오는 길이에요."

농부는 그의 얼굴을 지그시 보고 있다가 담배를 피워물고 이렇게 말했다.

"내 아버지께서는 이 물수렁 같은 땅에다 평생 도랑을 파셨다네. 목장을 만들기 위해서였지. 그리고 나도 내 아버지가 그랬던 것처럼 도랑을 지금까지 파고 있어. 역시 목장을 만들기 위해서야. 아직까지 목장을 만들지는 못했지만, 포기하지 않고 노력하면 언젠가는 분명히 목장이 이루어질 것을 아버지도 나도 믿고 있기 때문이라네. 내 말의 뜻을 이해할 수 있는가?"

의사는 이 말에 정신이 번쩍 들었다. 늙은 농부가 그에게 새로운 결심과 자존심을 가져다주었다.

곧바로 요양원으로 걸음을 옮긴 그는 쓰레기통을 뒤졌다. 원고는 그대로 있었지만 비에 촉촉히 젖어 있었다.

"조금만 늦었으면 못쓸 뻔했군!"

그는 그 원고를 가져와 난로불에 말렸다. 그리고 더한 열정으로 원고를 계속해서 썼다.

이렇게 불붙은 그의 정열은 지칠 줄을 몰랐다. 마침내 소설을 탈고한 그는 원고를 출판업자에게 우송했다.

세월이 얼마쯤 흘렀다. 그가 원고에 대해 까맣게 잊고 있을 무렵에, 그 소설은 《모자집의 성》이란 제목으로 출판되었다. 처음부터 독자들의 반응이 놀라왔다. 중판에 중판을 거듭할 정도로 불티나게 팔렸다. 나중에는 연극으로 각색되고 19개 국어로 번역되어 300만 부 이상이 팔렸다.

이 의사가 바로 《성채》, 《천국의 열쇠》, 《인생의 도상에서》 등의 수많은 역작을 남긴 A. J. 크로닌이다.

헨델의 메시아

희망은
영구히 인간의 가슴에서 솟는다.
인간은 언제나
이제부터 행복해지는 것이다.

어느 추운 겨울 밤이었다. 등이 굽은 한 노인이 타박타박 런던의 어둡고 음침한 거리를 헤매고 있었다. 노인은 밤의 전령처럼 밤마다 런던 거리를 휩쓸고 다녔다. 고통스런 암울한 표정에는 지난날의 영광스런 기억들과 다가올 미래에의 절망이 한데 어우러져 있었다.

'아, 허망한 인생살이여! 과거 40여 년의 세월 동안 영국과 유럽 귀족들의 존경과 찬양을 받았던 내가 아니던가. 왕족들의 사랑을 받고 많은 영예를 누리며 이름을 떨치던 내가 아니던가. 그런데, 그런데…….'

노인은 고개를 들어 지난날의 영화를 생각했다.

'그날도 난 무대에 있었었지, 그 환호의 아우성 속에.'

"부라보 부라보!"

그날 관객들의 환호에 답례하던 그는 비보를 전해들었었다.

“여보게, 여왕 폐하가 승하하셨다네.”

“뭐라고. 캐롤린 여왕 폐하가…….”

후원자인 여왕의 죽음은 그에게 절망과도 같았다.

수입은 뚝 떨어졌고 모든 공연은 취소되었다. 친구들에게서 빌린 돈으로 겨우겨우 입에 풀칠은 했지만, 빚은 불어만 갔다. 더군다나 그의 창의적 열정마저 시들해졌다.

지난날의 영화를 생각하며 거리를 헤매던 그는 살을 에이는 듯한 삭풍을 맞으며 풀죽은 모습으로 집으로 돌아왔다.

“주인 나리, 소포가 와 있습니다.”

근심어린 하인의 목소리를 뒤로 하고 그는 테이블 위의 꾸러미를 풀었다.

“아니 이건 가사(歌詞)가 아닌가?”

소포꾸러미를 푼 그는 의아한 표정으로 하인을 바라보았다.

“…….”

그는 조심스레 가사집(歌詞集) 위에 놓여 있는 편지를 집어들었다.

“저는 시인 찰스 예넌스입니다.”

그는 이류급 시인이었다. 탐탁치 않았지만 그는 계속 읽어 내려갔다.

“이 가사집의 제목은 〈교회 오라토리오(A Sacred Oratorio)〉입니다. 즉시 이것을 작곡해주실 수 있는지요. 주님께서 내게 이 말씀을 주셨습니다.”

그는 무심하게 가사 내용을 대강 훑었다.

갑자기 한 대목에서 눈길이 멈췄다.

“그는 뭇사람들의 멸시와 천대를 받았다.…… 그는 그에게 동정을 베풀 사람을 구했다. 그러나 한 사람도 없었다. 위로하려는 사람조차 발견하지 못했다."

단순한 노래 가사가 아니라 그의 생을 보여주는 듯했다. 그의 마음은 동질감으로 따뜻해졌다.

"그는 하느님을 의지했고…… 하느님은 그의 영혼을 지옥불에 떨어뜨리지 않으셨도다.…… 그는 너희에게 휴식을 주시리라. 나는 나의 구주가 살아계심을 안다…… 기뻐하라, 할렐루야."

그의 마음은 감동의 불길로 타올랐다. 마음 저 밑바닥에선 멜로디가 들끓기 시작했다. 즉시 오선지에 펜을 댔다. 놀라운 속도였다. 페이지는 점점 더 쌓여만 갔다. 밤을 꼬박 지샜다. 하인이 가져다놓은 아침상조차 손도 대지 않았다.

"저러신 지 벌써 여러 날째인데 쓰러지시기라도 한다면……."

그는 식사를 거부했다. 가끔 방안을 이리저리 거닐며 팔운동을 할 뿐이었다.

드디어 완성의 날이 왔다. 그의 뺨에서는 눈물이 하염없이 흘러내렸다.

"나는 온 하늘이 내 앞에서 열린 것과 위대하신 하느님을 보았다."

말을 끝낸 그는 17시간 동안이나 잤다. 그의 머리맡에는 역사상 가장 위대한 오라토리오 〈메시아(The Messiah)〉의 악보가 놓여 있었다.

자신의 일차적 표현 이름

◆

인간은
타인의 이름 따위에는
별다른 신경을 쓰지 않으면서도 자기의 이름에는
굉장한 관심을 갖는다.

말발굽에 치여 죽은 아버지를 대신하여 벽돌공장, 우편배달부를 전전하던 사람이 미국 우정장관(郵政長官) 자리에 올랐다.

독특한 그의 출신 배경에 귀가 솔깃한 기자들은 그에게로 몰려들었다.

기자들과의 회견 자리에서의 일이다.

"당신은 고등학교 근처에도 못 간 사람으로서 네 대학에서 학위를 수여받았고, 민주당의 전국위원장이 되었습니다. 드디어는 미합중국 우정장관(郵政長官)의 요직에까지 이르게 되었는데 당신의 성공의 비결은 무엇이었다고 생각합니까?"

"별다른 것이 아닙니다. 부지런히 일했을 뿐이죠."

"농담은 그만하십시오."

믿을 수 없다는 듯 기자가 어깨를 으쓱거렸다. 그러자 그는 대답 대신 거꾸로 의견을 물었다.

"그러면 당신은 어떻게 생각하십니까? 그 비결이 따로 있다는 말입니까?"

"네."

"당신은 만 명이나 되는 사람들의 이름을 기억하고 계시는 것으로 알고 있는데요……."

그는 정정하여 대답했다.

"아니요. 어림잡아 5만 명 정도일 것입니다."

"대단하십니다. 어떻게 그 많은 사람들의 이름을 외울 수 있었나요?"

"그 방법이랄 것도 없지만…… 아주 간단한 것이었지요."

"좀더 구체적으로 말씀해주시겠습니까?"

"네, 그 당시 저는 석고 회사 외무 판매원으로 일했었지요. 때문에 각지를 돌아다녔습니다. 그리고 군청의 서기로 근무한 적도 있었는데 그러는 사이 저절로 사람의 이름을 기억하는 방법을 알게 됐습니다."

"아, 네."

"처음으로 인사한 사람에게서 반드시 그 성명이라든가 가족관계, 직업에 대해 심지어는 정치를 보는 그 시각도 알아냅니다. 그런 후, 그것을 전부 기억 속에 저장해두지요. 일단 그렇게 해두면 다음 기회에 만나든가 아니면 1년 가량 지난 후에라도 상대의 어깨를 툭툭 칠 수가 있게 되죠. 상대의 처자에 관한 일이며 정원에 있는 화초에 이르는 여러 가지 일에 관한 안부를 물을 수 있게 됩니다."

"역시 그렇군요. 사람들이 당신을 지지하는 것도, 그 지지자의 수도 점점 증가하는 이유를 알겠습니다."

"프랭클린 루즈벨트가 대통령으로 당선된 데에는 당신의 힘이 컸다는 이야기도 있던데, 그 점에 대해서 어떻게 생각합니까?"

"아, 말씀드리죠. 루즈벨트가 대통령 선거전에 나서기 몇 달 전부터 저는 서부 및 서북부 여러 주에 있는 사람들에게 매일 수백 통의 편지를 썼습니다. 15일간 20개 주를 순방했는데 거리는 무려 3만 천 마일이었지요. 마차, 기차, 자동차, 나룻배 할 것 없이 모든 교통수단을 이용하여, 곳곳에 흩어져 있는 각 고장 유지들을 만나 식사와 차를 나누며 서로 흉금을 털어놓고 이야기했습니다. 그리고 나서 다음 목적지로 가곤 했죠.

동부로 돌아와서는 지금껏 다닌 도시며, 지방의 대표자들에게 편지를 내어 집회에 참석한 사람들의 명단을 부탁했습니다. 수만에 이르는 사람들이었지만, 저는 한 사람도 명단에 있는 사람은 빼지 않았지요. 저의 이름, 즉 애칭인 짐 파알리가 서명된 정성어린 편지를 보냈습니다. 서두는 이렇게 시작했지요. 가까운 친구간에 주고받는 듯한 친밀감을 주는 어투로 말입니다. 빌에게, 죠 씨 등으로."

일을 준다면 프로가 되죠

◆

모두들 널 원하고 있어.
너를 싫다고 하는 사람은 없어. 그런 사람이 있다면
그 사람이 잘못된거야.

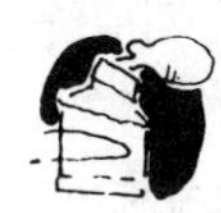

선술집이 딸려 있는 런던의 작은 극장 안에 술에 잔뜩 취한 사내가 있었다. 그의 손에 화구(畫具)가 들려 있는 걸로 보아 화가임이 틀림없었다.

사실 그는 화가였다. 비록 아마추어들이 출입하는 극장의 배경 그림을 그렸지만……. 그날도 그는 무대 배경화를 그리려고 극장에 왔다. 그러나 참새가 방앗간을 그냥 지나가지 못하듯 선술집을 바로 지나 극장 문을 열기란 여간 힘겨운 게 아니었다. 이날도 역시 딱 한 잔만 한다고 다짐했는데 그만 코가 비뚤어지도록 마셔버린 것이었다.

그래도 그림은 그려야 하는지라 극장 안으로 들어섰지만 비치적거리는 몸은 말을 듣지 않았다. 그래서 객석에 털썩 주저앉았다.

그때 어떤 사람이 다가와 그의 어깨를 흔들었다.

"이봐, 당신 차례야. 리허설을 받으러 왔으면 빨리 들어가 보게."

그는 얼떨떨했다. 그렇지만 그 사람이 이끄는 데로 고분고분 들어갔다.

그가 안으로 들어가자마자 그의 손에는 연극 대본이 들려졌고, 에이전트는 대본에 맞춰 연기를 시작하라고 지시했다. 비록 그림을 그리러 왔지만 손에 들려진 대본에 따라 연기도 해보고 싶었다. 색다른 체험일 듯했다.

술김인지 그의 마음은 편안해지고 대사가 눈에 확 들어왔다. 어렸을 적부터 귀에 못이 박히도록 들었던 어머니의 말씀이 떠올랐다.

"얘야, 너를 싫다고 하는 사람이 있으면, 그것은 그 사람이 나쁜거야. 모두들 널 원하고 바랄거야."

어머니의 말은 그에게 자신감을 심어줬다. 그는 아주 리얼하게 연기했다.

에이전트는 빙그레 웃음지었다. 아직도 얼떨떨한 그에게 에이전트는,

"프로가 되어야 돼."

라고 말했다. 그도 배시시 따라 웃으며, 힘을 잔뜩 준 목소리로 말했다.

"일을 준다면 프로가 되죠."

에이전트는 일거리를 주었고 그는 쉴새없이 일을 계속 했다.

작은 극장의 무대 배경이나 그려대던 그 싸구려 화가가 바로 1987년 아카데미 최우수 남우상에 노미네이트된 봅 홋킨스이다.

떠호박벌의 교훈

남들이 할 수 없다고
규정지은 것에
매몰될 필요는 없다.

재미있는 이야기가 하나 있다.

생물학자들이 모여 떠호박벌에 관한 연구를 했다. 그들은 골똘히 연구를 거듭하다가 결론을 내렸다.

"떠호박벌은 날지 못해."

그들은 떠호박벌이 날 수 없을 거라고 결론을 내렸지만, 아무도 떠호박벌에게 그것을 알려주지 않았기 때문에 떠호박벌은 지금도 날아다니고 있다는 이야기이다.

해리 롤리크는 모자로 그의 인생을 승부할 작정이었다.

그는 제1차대전 직후에 브룩클린에서 텍사스로 이사하여 모자 수선업을 시작했다. 그후 그는 어느 소매점의 모자 세일즈맨의 일자리를 얻었다. 그곳에서 눈 깜짝할 사이에 그는 지배인으로 승진했다. 그가 20대에 접어들었을 무렵, 그는 소규모의 모자 제조회사에 입사했다.

경영자의 자리에 올랐을 때 '띠호박벌의 교훈'이 해리의 마음에 싹트기 시작했다.

'남들이 할 수 없다고 규정지은 것에 매몰될 필요는 없어. 사람들의 머리에 꼭 맞는 모자를 만들어야지.'

당시 모자 제조업자는 단 한 가지의 표본만으로 모자를 만들었다. 유일한 표본이 완전한 표준형이었기 때문에 쓰는 사람 쪽에서 심(芯)을 넣거나 늘리기도 하여 모자에 맞게 크기가 각각 다른 사람들의 머리를 맞추어야 했다. 해리는 이 점에 주의를 기울였다. 표본 한 가지에 의존한 단일 상품보다는 사람의 머리에 꼭 맞는 다양한 상품 개발에 주력했다.

드디어 모자의 모양을 구기지 않고 사람의 머리에 꼭 맞는 모자를 만드는 방법을 발견했다. 그는 그것을 '레지스톨 햇트'라 이름지었다. 텍사스 주의 가아란드로부터 시작된 이 레지스톨 햇트는 드디어 곳곳으로 퍼져나갔다. 영화계의 스타들은 서둘러 해리의 모자를 주문했고 각계의 명사들은 여러 곳에서 그를 초대했다. 그의 모자는 미국과 멕시코의 대통령, 각 주지사의 머리에 씌워졌다.

해리 롤리크와 그의 새로운 모자는 뉴스 영화로까지 촬영되었다.

그의 머리 속에는 아직도 띠호박벌이 윙윙거리며 날고 있다.

이전엔 모자를 일정한 지역에서만 만들 수 있다고 생각되어 왔지만 롤리크는 현대 화학을 이용해 미국 어디에서나 모자를 만들 수 있는 방법을 창안했다. 그는 동부지역에 모자를 공급하기 위해 코네티컷 주 노워크와 뉴저지 주에 있는 뉴아아크에 새 공장을 세웠다. 그리고 서부 여러 주에 모자를 공급하기 위해 서부공장을 건설했다. 이 결과 손님들은 생산비가 절감되었기 때문에 값이 싸진 모자를 입수할 수 있게 되었다.

그는 예전에 아무도 생각하지 못했던 참신한 방법으로 모자를 제조하기 위해 새로운 기계와 기술을 개발하며 전진을 계속하고 있다.

그래도 행복했던 쇼팽

◆

일을 얼마나 많이
성취할 수 있는가를 결정하는 것은
외부적인 환경이 아니라
내부에 있는 인간이다.

"쿨럭, 쿨럭."

내장을 뒤집어엎을 듯한 기침이 터져나왔다. 그는 한 손으로 입을 틀어막으며, 다른 한 손으로 오선지에 음표를 그렸다. 음표 하나하나 그려나갈 때마다 어김없이 좇아오는 기침이다. 얄밉게도 재채기는 오랜 친구처럼 그를 따라다녔다.

마이너에 이르르면 단조의 슬픈 음계처럼 기침도 처량하게 흐르고, 메이저(장조)에 이르면 또 다른 분위기의 재채기가 흘러나왔다.

이른 아침, 푸르른 풀잎 위에 새벽 이슬이 또르르 구르는 듯한 맑은 선율의 야상곡 등을 작곡한 쇼팽의 생애는 그 음처럼 맑고 투명하지는 못했다. 그는, 젊은 나이에, 죽음에 이르는 병인 결핵에 걸려 있었다.

오선지와 피아노 위를 오가는 가느다란 손가락은 거침없이 터져나오는 기침에 어쩔 줄 몰랐다.

그러나 그는 결핵에 걸린 자신을 한탄하지 않았다. 단지 결핵이 불편함을 줄 뿐이라며 담담하였다.

제국주의 열강들이 날뛰던 시대 그의 사랑하는 조국, 폴란드는 그의 운명만큼이나 순탄치 못했다. 그의 조국이 전쟁에 휩싸였을 때, 그의 친구들은 모두 군대에 들어갔다. 그러나 너무나도 약질인 쇼팽은 조국을 위해 총을 들 수 없었다. 자괴감에 시달리던 쇼팽은 결국 조국 폴란드의 흙 한 줌 소중히 감싸안고 프랑스로 망명했다.

파리로 근거지를 옮겼지만 그의 병세는 날로날로 악화되기만 했다.

"쇼팽, 아무래도 자네 요양을 해야겠네. 이러다간 얼마 못 가 죽을 거야."

"그래, 그러는 것이 좋겠어. 내가 한번 알아봄세."

그를 아끼는 사람들의 권고로 마조르카 섬으로 요양을 갔지만, 그것도 잠깐 동안이었다. 마조르카 섬 위생 당국은 그에게 강제 퇴거를 명했다. 그리고 그가 그의 짐꾸러미를 끌어내기가 바쁘게 살던 집을 소독하였다.

그는 절망하지 않았다. 조금도 이러한 상황에 개의치 않고 작품 창작에 혼신의 힘을 기울였다.

간간이 의사들의 진찰을 계속 받았다. 한결같이 의사들은 그의 죽음을 예고했다.

"너무 늦었군요. 어쩔 수 없습니다. 죽음에 대한 예비를 하십시오."

“지금 우리들의 의학 기술은 너무나도 부족합니다. 저로서는 다른 방법이 없군요. 마음의 준비를 해두십시오.”

이구동성으로 내뱉는 의사들의 냉엄하고 절망적인 말에도 쇼팽은 의연한 자세를 흩뜨리지 않았다. 다만 자신의 비망록에 이렇게 쓸 뿐이었다.

“모든 의사는 내가 죽을 거라고 말하고 있다.”

신문지상에서는 여러 번에 걸쳐서 그의 죽음을 보도했다. 죽음이 바로 코앞에까지 다가온 몸이면서도 쇼팽은 자기의 죽음에 대한 농담을 곧잘 해댔다. 그러면서도 54곡의 마주르카와 11곡의 폴로네즈, 그리고 17곡의 폴란드 가곡을 작곡해내었던 것이다. 환상곡, 왈츠, 전주곡, 발라드 등은 피골이 상접한, 파리한 음악가가 자기 생명의 조수가 빠져나가는 것을 눈여겨보며 써낸 불후의 명곡들인 것이다. 사랑하는 조국 폴란드 정신을 통일시켰으며 애국심을 고취시킨 것이다.

그는 결국 40세의 일기를 끝으로 세상을 떠났다. 그러나 그의 이름은 지금처럼 앞으로도 영원히 빛날 것이다.

성공에 대한 확신

◆

피부 색깔이나 인종에 관계없이
누구나 성공할 수 있습니다. 성공을 믿고
또 성공은 나의 것이라고
주장하십시오.

그는 뉴올리언즈 교외의 아주 가난한 가정에서 태어났다. 어머니와 그, 그리고 네 명의 형제들에게 아버지는 항상 말하곤 했다.

"우리는 가난하고 교육도 받지 못한 데다가 흑인이기 때문에 이 세상에서 성공한다는 것은 결코 있을 수 없는 일이다."

가정이 가난했던 것은 사실이었다. 그리고 그가 흑인이라는 것도 사실이었다.

그는 학교에 다니는 일이 무척 재미있었지만 남에게 빌린 5에이커의 소작을 물려받기 위해 의무 교육 기한인 열다섯 살이 되면 학교를 그만두어야 했다.

15세가 되면 그는 교육을 받지 않은 가난한 흑인 남자로서의 운명을 받아들이지 않을 수 없었다.

그런데 운명은 어느새 샛길로 빗나가기 시작했다. 15세가 되기도 전에 그의 아버지는 마을에 있는 공장에서 좋은 일자리를 얻게 된 것이다. 하루 아침에 수입은 늘어나고, 일가는 마을의 작은 주택으로 이사했다. 하지만 아버지의 생각은 변함없었다. 그가 학교를 그만두고 일자리를 찾는 게 현명할 거라는 생각에는…….

그러나 그가 의무 교육을 마칠 나이가 되었을 때 어머니는 그녀의 생애에서 최초로 자신의 의견을 피력했다.

"너는 너와 네 후손들을 위해 훌륭한 교육을 받고 더욱 나은 생활을 하도록 해라. 단지 흑인이라는 이유만으로 가난해야 되고 교육 받지 못해서야 되겠니?"

그는 고등학교에 진학했고 장학금과 가족의 원조로 4년 간의 대학 교육도 받았다. 대학 졸업 후 비지니스 세계에 발을 들여놓았지만 최종적으로 목사가 되기로 결심했다.

그는 그의 교회에 출석하는 사람들에게 이렇게 말하곤 한다.

"피부 색깔이나 인종에 관계 없이 누구나 성공할 수 있습니다. 성공을 믿고 또 성공은 나의 것이라고 주장하십시오."

쓰고 또 쓰는 길뿐

◆

쇠도 쓰지 않으면 녹슬고
물도 쓰지 않으면 부패하며 추운 날에는 얼어붙는다.
사람의 지력(知力) 역시 이와 같아서
끊임없이 쓰지 않으면
결국 퇴화한다.

《담배의 길》과 《신의 작은 땅》 등은 널리 알려진 아스킨 골드웰의 소설이다. 20개 국어로 번역되었고, 브로드웨이에서도 상연되었으며 영화로도 만들어진 이 작품들로 골드웰은 현대의 중요한 작가가 되었다.

1920년대 중반에 골드웰은 무명의 기자였고 적은 보수로 보잘것없는 기사를 쓰고 있었다.

1926년 무렵 골드웰은 더이상의 발전가능성이 보이지 않는 기자 생활을 마감하고 소설을 써보기로 작정했다. 5년, 10년이 걸릴지라도 한번 해볼 작정이었다.

그는 땔나무를 구하고 식량으로 감자를 재배하면서 쓰고 또 쓰고 계속 써나갔다.

날마다 쓴 원고는 산처럼 쌓였고, 그 많은 원고를 출판사에

부치다 보니 우편료가 없을 정도였다.

그러던 어느 날, 그다지 알려지지 않은 프랑스 판 영어 문학 잡지의 편집장으로부터 소설을 한 편 게재하고 싶다는 편지가 왔다. 원고료도 없었다. 하지만 골드웰은 작품이 활자화되는 것만으로도 만족했다. 비록 모닥불 밖에 없었지만 아내와 둘이서 축하 파티를 할 정도였다. 모닥불 불쏘시개로는 세 개의 구두상자 속에 들어 있는 부채용(負債用) 통지서를 사용했다.

서서히, 그러나 확실히 그의 작품은 지면을 확보하기 시작했다.

1930년, 유명한 편집자인 맥스웰 퍼킨스(울프, 피츠제럴드, 헤밍웨이 담당 편집자)가 작품을 더 보고 싶다고 통보해왔다.

골드웰은 일주일 동안 매일 한 편의 글을 퍼킨스에게 보냈다. 그러나 어느 것이든 어김없이 그에게로 되돌아왔다.

자신의 재능에 회의를 느낀 골드웰이 포기할 무렵, 퍼킨스는 두 편의 작품이 마음에 든다며 3달러 50센트를 지급하겠다고 통보했다. 그의 오랜 노력이 작은 결실을 맺은 것이다. 이때부터 골드웰의 소설가로서의 삶에 서광이 비치기 시작했다.

골드웰은 실력이 하루 아침에 붙는 것이 아니라는 걸 알고 있었다. 일류가 되려면 최소한 10년 이상의 투자가 있어야 함을 알았던 것이다. 저널리스트로서의 경험이 있었지만 곧바로 소설을 쓸 수 있었던 것은 아니었다. 더 많은 경험과 수련이 필요했던 것이다.

다른 걸 시도하면

◆

성공이란
사람이 도달하는 장소라기보다는
오히려 여행을 시작하고
지속시켜주는 정신이다.

"하멧트 씨, 도대체 탐문을 어떻게 한거야. 물증을 다 놓쳤잖아. 현장에 떨어져 있는 머리카락 하나라도 주의해 보랬는데 매번 허탕이잖아. 이래가지고 어디 밥먹고 살겠어."

하멧트는 찡가튼 탐정사무실의 문을 닫고 쾅쾅거리는 철계단을 내려왔다. 그의 마음과는 달리 거리의 햇살은 눈부시기만 했다.

터덜터덜 걸어가는 발걸음이 무겁기만 했다.

'어쩜, 난 탐정하곤 거리가 아주 먼지도 몰라. 날마다 뛰어다니며 탐문을 하고 자료 수집을 했지만 매번 허사야. 너무 많이 걸어 관절염이 걸릴 지경인데…… 난 이곳을 그만두고 싶어. 하지만 내 아내와 아이는 어떡하지.'

2년 전에 결혼한 하멧트는 처자식을 위한 일정 수입이 필요했다. 그러므로 무작정 그만둘 수는 없었다.

이튿날 그는 어김없이 핑가튼 탐정사무실에 출근했다. 달리 어쩔 방도가 없었기에 무거운 발걸음을 이끌고 사무실에 나온 것이다.

어제의 일도 있는지라 사무실 안에서 안절부절 못하는 그를 실장이 불렀다.

"하멧트 씨, 자네는 탐정으로서 가망이 없네. 오늘로서 사표를 받겠네. 자네는 글을 쓰는 것이 어떨까? 자네의 탐정 솜씨는 최하였지만 보고서는 최고였으니까."

하멧트는 더이상 탐정사무실에 머물 수가 없었다.

하멧트는 문학 수업이라곤 전혀 받은 적이 없었다. 하지만 그는 실장의 말을 곰곰 새겨들었다.

'난 문학이라든가 저작활동의 이론 따위는 몰라. 내가 가진 건 수많은 체험뿐이야. 전쟁의 체험, 탐문을 위해 길거리로 나서서 보고 배운 체험들. 이 체험으로 소설을 쓰면 어떨까?'

하멧트는 일단 시도해보기로 결정했다. 그는 탐정사무실에서의 경험을 바탕으로 추리소설에 손을 댔다.

그후 체험 이외엔 아무것도 없던 다쉴 하멧트는 창조의 세계로 뛰어들어 마침내 최고의 추리작가라는 칭송을 얻게 되었다.

근면은 만병통치약

자기 자신을
잊어버릴 정도로 바쁘게 살다보면
근심 걱정은
어느 틈엔가 온 데 간 데 없이
사라져버린다.

"불이야, 불."
"누구 빨리 좀 와주세요."
"아악!"

헨리 롱펠로우는 비호처럼 달려갔다.

날카로운 비명을 질러대던 아내는 이미 불길에 휩싸여 있었다. 그는 안타까움에 발만 동동거릴 뿐 달리 취할 방도가 얼른 생각 나질 않았다. 불을 끄려고 허겁지겁 달려다녔지만 때는 이미 늦어버렸다. 아내는 불에 타 죽고 만 것이다.

여느 날처럼 아내는 밀초의 밀을 녹이고 있었다. 그런데 잔잔하던 공기가 세차지더니 바람이 불현듯 확 불어제쳤다. 그 바람에 너풀거리던 아내의 긴 옷자락에 불이 붙었고, 아내 주위의 공간은 금새 화염으로 휩싸였다. 놀람과 당황의 목소리를 듣고 달려갔지만 허사였다.

롱펠로우는 비참한 심정으로 할 말을 잃고 실신해버렸다. 너무나도 어처구니없는 일을 당한 것이다. 바로 눈앞에서 죽어가는 아내의 모습을, 그것도 살려달라고 울부짖는 모습을 보고서도 속수무책일 수밖에 없는 자신이었던 것이다.

그 슬픔은 대단한 것이어서 망연자실한 상태에서 식음을 전폐하고 그냥 그렇게 허송 세월했다.

아이들은 아버지의 힘없는 얼굴을 보며 눈물을 흘렸다. 이제 그들에게 남은 건 아버지뿐인데 아버지는 그들에게 힘이 되어주지 못했다.

"자네가 이렇게 있으면 자네만 바라보는 저 아이들은 어쩌란 말인가? 죽은 사람은 죽은 사람이야. 잊어버리게. 훌훌 털고 일어나는거야."

"힘내세요. 당신도 어쩔 수 없었던 상황이었잖아요. 하나님이 당신의 아내를 먼저 부르신 것뿐이어요."

걱정어린 눈빛으로 그를 위로하는 이웃사람들의 따스한 정은 망연히 앉아 있던 그에게 아이들을 생각해내게 했다.

'나는 아내를 잃었지만 저 아이들은 어머니를 잃은 것이다. 그래 일어나자. 일어나서 다시 사는 것이다.'

자신의 슬픔은 접어둔 채 그는 아이들의 슬픔을 위로하기에 여념이 없었다. 한꺼번에 그는 두 가지의 일을 해야 했다. 때로는 아버지와 때로는 어머니 역할을 했다.

아이들을 유원지에 데려갔고, 함께 산책도 했으며, 옛날 이야기도 들려주었다. 아이들과 더불어 게임도 놀이도 항상 같이 즐겼다.

이런 생활을 하면서 그는 작업에 몰두했다. 그리하여 아이들을 위한 수많은 시들도 창작하였다. 이때 지어진 시들은 오늘날까지도 계속 암송되고 있다. 단테의 작품들도 번역하며 바쁜 나날을 보내는 가운데 까무러칠 정도로 슬프던 비극도 어느새 잊혀져 갔다.

자기 자신을 잊어버릴 정도로 바쁘게 살다보면 근심 걱정은 어느 틈엔가 온 데 간 데 없이 사라져버리는 법인가보다.

오뚜기 인생

◆

불행은
그 사람의 위대함을 증명하는 것이다.

미국의 저명한 조류학자이며 화가인 오듀본은 켄터키 주 헨더슨에 살고 있었다. 그때 여러 종류의 새를 스케치하고 있었는데 그 그림들은 거의 200여 장에 달했다.

어느 날 그는 필라델피아에 볼일이 있어서 얼마 동안 집을 비우게 됐다. 그런데 그 그림들의 보관이 골치거리였다. 가장 소중하게 보관해줄 사람을 생각하며 그림들을 조심스레 나무 상자에 차곡차곡 정리해 넣었다. 그리고 그 상자를 필라델피아로 떠나기 전에 믿음직한 친척에게 맡겼다.

"부탁합니다. 여기 상자에 든 것들은 제 연구의 귀중한 자료들입니다. 절대적으로 상하지 않도록 잘 좀 부탁합니다."

주의를 철저히 시키면서 보관을 요청했다.

필라델피아에서의 일은 수개월이 소요됐다. 겨우겨우 할 일을 마치고 돌아와 그 길로 친척 집을 향해 뛰었다. 자신의 상자를 빨리 찾아야 한다는 열망 때문이었다.

"그 동안 보관해주셔서 정말 감사합니다."

가슴 뿌듯하게 상자를 보듬어 안고 집으로 왔다. 드디어 뚜껑을 개시했다. 그런데 이게 웬일인가. 와르르 억장이 무너지는 소리가 기저에서부터 들리는 듯했다. 극도로 흥분된 가슴을 주체할 수가 없었다.

상자 속에는 산산조각이 난 종이 조각들만 수북히 쌓여 있을 뿐이었다. 날벼락이었다. 종이 무덤 속에선 찍찍 쥐소리가 났다. 부스럭거리며 쥐 한쌍이 주인인 양 태연자약하게 도사리고 앉아 있었다. 그 품안에는 생쥐들이 우글우글 보금자리를 틀고 있었다.

일순간 핑그르르 머리가 돌았다. 정신을 잃었다. 그는 사흘 동안 내내 침대에서 꼼짝도 하지 않았다. 망연자실한 상태로, 초점 잃은 눈으로 허공을 바라볼 따름이었다.

그러는 가운데 그는 자신의 내부 속에서 무언가 꿈틀거리는 것을 느꼈다. 동물적 본능과도 같은 강한 어떤 힘으로 몸과 마음이 요동치기 시작한 것이다. 그 힘에 이끌려 그는 다시 일하기 시작했다. 결국 이젤과 스케치북과 연필을 갖고 숲으로 향했다.

부활과도 같은 생동감이 넘치는 숲으로 향하는 그의 얼굴 표정은 명랑하기 그지없었다. 날벼락 같은 일은 이미 잊은 지 오래된 사람의 밝은 얼굴 모습이었다.

일단 새들의 생태에 관한 스케치에 몰두한 이상 맹렬한 기세로 그려내기 시작했다. 무아지경으로 작업에 열중한 탓인지 스케치는 전보다 더욱더 세밀하고 정교한, 훌륭한 작품이 되었다. 정말 놀라울 만한 속도였다. 다시 스케치를 시작한 지 미처 3년도 되기 전에 많은 양의 그림이 그려졌다. 15년 동안 걸쳐서 그렸던 그림을 충분히 보충해주고도 남았다. 그 결과 그는 조류학계에서 보기 드문 학자가 되었다. 다시 일어나게 한 그 열정이 15년의 공백을 세밀하게, 그리고 아주 훌륭히 메워 준 것이다.

송곳니는 그녀를 유명하게 했다

◆

자신을 효과적으로 선전하려면
남다른 개성이 있어야 한다. 제아무리 그럴 듯한
모방일지라도 진짜에는 미치지 못한다.

캐스 달레는 뛰어난 가수가 되기를 바랐다.
붉은 벽돌로 둘러쌓인 그녀의 집 앞을 지날 때면 사람들은 가던 걸음을 멈추어 서곤 했다. 담장 너머로 들려오는 그녀의 노래는 뭇사람들을 감동시키기에 충분했기 때문이다. 〈메데이아〉의 음울한 노래를 부르는 마리아 칼라스가 그녀만의 독특한 음색을 지녔듯이 캐스 달레도 그녀 나름대로의 독특한 음색을 가지고 있었다.

그러나 가수로서 대성할 가능성이 보임에도 불구하고 그녀는 실의에 빠져 있는 날이 많았다. 애석하게도 그녀의 이가 송곳니였기 때문이다.

'아, 내게 송곳니가 아닌 가지런한, 고른 이가 박혀 있었다면,…… 틀림없이 헐리우드로 진출할 수 있을 텐데. 난 기껏해

야 이름없는 나이트클럽의 가수밖에 되지 못하겠지.'

그녀는 이름없는 나이트클럽에서 노래를 불렀다. 작은 클럽이니 만큼 수입도 작아 근근히 생활을 꾸려나갈 수밖에 없었다. 그녀는 송곳니가 너무 부끄러워 입술을 어정쩡하게 벌린 상태에서 노래 부르곤 했다.

그러던 어느 날, 광고업자인 프랭크 킹젤러가 그녀가 일하는 나이트클럽에 들르게 되었다. 와인을 마시며 묵상에 잠긴 그는 사람의 마음을 편안하게 해주는 그녀의 노래소리를 듣고 슬며시 눈을 들어 그녀를 바라보았다.

노래가 끝나자 킹젤러는 그녀를 자신의 테이블로 불렀다.

"참 좋은 노래였소. 하지만 자세가 좋지 않아요. 그 이를 감추려고 애쓸 필요는 없잖아요."

물끄러미 바라보는 캐스에게 킹젤러가 단호하게 말했다.

"입을 오무리고 노래하려는 생각일랑 버려요. 자기의 송곳니를 인정하세요. 스테이지로 돌아가서 말해요. '여러분, 보시는 바와 같이 나는 이런 이를 가지고 있어서 고민하고 있어요. 그렇지만 여러분이 묵인해주신다면 이제부터는 감추지 않겠어요.'라고 솔직하게 시인하세요."

캐스는 그가 무슨 말을 하는지 곧장 알아차렸다. 하지만 그녀는 킹젤러가 말하는 것을 깊이 있게 생각하지 않았다.

여전히 입을 오무린 채로 노래하는 캐스를 킹젤러는 끈질기게 설득했다. 마침내 그녀는 그의 아이디어의 의미를 깨달았다. 그는 그녀가 자연스럽게 노래하는 것을 원했던 것이다.

그녀는 그렇게 했다. 용기를 내어 그렇게 해봤다. 그녀는 청중에게 장난삼아 얼굴을 찡그려 보기도 했다. 기겁하기는커녕 청중들은 그녀의 주위로 몰려들었다.

드디어 그녀의 송곳니는 그녀를 헐리우드로 진출시켰다. 다음에는 전국에 중계되는 라디오 프로그램의 일을 맡게 되었다. 부끄러워 가리고 숨기기만 한 송곳니가 매력이 있다는 사실을 캐스는 발견한 것이다.

자기 PR의 시대

◆

말을 잘하는
첫번째 요소는 진실, 두번째는 양식,
세번째는 기분,
네번째는 기지.

그는 주눅이 들었다. 더군다나 출판사 사장이 일그러진 표정으로 두 눈을 부라리며 쳐다볼 땐 더욱 그러했다.

"도대체 당신은 실력이 있는 작가요? 아니면 단순히 글줄이나 쓸 줄 아는 재주꾼이요. 정말 못해먹겠어. 책이 팔려야 말이지."

사장은 들고 있던 그의 책을 책상 위로 내던졌다.

"어떻게 된 것입니까? 당신은 당신의 책이 잘 팔릴 것이라고 큰소리 치지 않았소. 근데 판매 실적이 이게 뭐란 말이오?"

쥐구멍이라도 있다면 당장이라도 들어가고 싶었다. 그냥 흘려보낼 그런 잔소리들이 아니었다. 그 자신의 밥줄이 걸려 있는 문제인 것이다.

모처럼 겨우 책 한 권 썼다. 심혈을 기울여 최선을 다한 작품이었다. 그런데 이 책이 출판된 지 시간이 꽤 흘렀어도 판매 부수는 하향에 머물러 있었다.

'독자들은 도대체 누구의 작품을 읽고 있는거야. 얼마나 내가 정열을 쏟아부었는데 말야.'

난감했다. 스스로 이 난세를 타개할 방도를 생각해내야만 했다.

"사장님."

출판사 사장은 여전히 울상이었다.

"광고를 합시다. 광고를 하면 확실히 판매 부수가 나아질 것이라고 확신합니다."

"뭐라고요. 지금 그걸 말이라고 하는거요?"

출판사 사장은 혀뿌리를 끌끌 차며 도끼눈으로 그를 보았다.

"지금 광고를 내면 광고료만 날릴 뿐이라는 것을 모르시오? 얼마나 판매량이 턱없이 저조한지 도대체 감이나 잡고 있는거요?"

출판사 사장의 호통소리에 기가 팍 꺾였다. 그렇다고 해서 마냥 보고만 있을 그는 아니었다.

'하는 수 없다. 내가 직접 광고할 방도를 찾아서 광고를 하는 수밖에…….'

결연한 결심으로 출판사를 나온 그는 자신의 생각을 이행하러 갔다. 그는 런던의 각 신문사로 갔다. 신문마다에 광고를 내는 것이다. 광고 문안은 자신이 직접 만들었다. 그것은 다음과 같은 글귀였다.

"배우자를 찾고 있습니다. 모든 스포츠와 음악을 좋아합니다. 교양도, 매너도 좋습니다. 멋있는 백만장자로서 내가 바라는 여성상은 다음과 같은 여자입니다. 바로 서머셋 모옴의 최근작 소설 속에 등장하는 여주인공 같은 여자이지요. 젊고 매력있는 아름다운 여자입니다. 이런 여자가 나타나기만 한다면 저는 지금 당장이라도 결혼하고 싶습니다."

말할 것도 없었다. 수많은 여자들이나 소녀들이 이 책을 샀음은 당연한 결과였다.

신문에 게재되자마자 주문이 밀려들어오기 시작했다. 그는 유명해졌다.

비평가들은 이렇게 그를 평가했다.

"프랑스의 모파상에 버금가는 영국의 작가 윌리엄 서머셋 모옴."

이 색깔은

자기 자신이 해야 할 일을
인식한다는 것은 그 사람 속에 깃들어 있는
신성의 나타남을 의미한다.

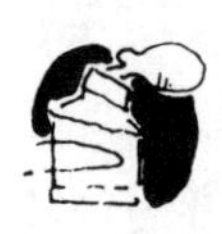

캔들 거리를 한들한들 걷던 돌턴은 양말 가게 앞에서 걸음을 멈추었다.

"가게 정리! 싸게 팝니다!"

라는 팻말이 붙은 쇼윈도우 너머로 보이는 가게 안에는 실크로 된 양말들이 가득 쌓여 있었다.

돌턴은 어머니를 생각했다. 어머니에게 실크로 된 양말이 하나도 없다는 사실에 생각이 미쳤다. 어머니가 신은 양말은 그녀가 손수 뜨개질한 양말이었다.

큰맘 먹고 돌턴은 가게 문을 밀었다. 푸른 기가 감도는 회색 양말이 퀘이커 교도인 수수한 어머니에게 잘 어울릴 듯했다.

양말을 예쁜 종이로 포장한 돌턴은 저녁 식탁에서 어머니 앞으로 살짝 밀어놓았다. 어머니의 기뻐하는 모습이 빨리 보고 싶었다. 그런데 어머니는 뜻밖의 반응이었다.

"애야, 이 양말은 너무 화려해서 신을 수 없구나. 더군다나 우리는 검소한 옷차림을 수칙으로 여기는 사람들이 아니니."

돌턴은 이해할 수가 없었다.

"엄마, 제가 보기에는 우리 퀘이커 교도들에게 아주 걸맞는 색깔이라고 생각해요. 푸른 기가 도는 회색은 화려한 색이 아니잖아요."

"애야, 너는 이 빛이 회색으로 보이니? 이 양말의 색깔은 붉은 빛깔이란다."

돌턴은 믿을 수가 없었다. 자기 눈앞의 양말은 푸른 기가 감도는 회색인데 엄마의 눈에는 붉은색으로 보이다니…….

돌턴은 동생 조나단에게 물었다.

"조나단, 네 눈에는 무슨 빛깔로 보이니?"

"응, 푸른 기가 도는 회색."

"보세요. 엄마가 잘못 보셨지요."

이제는 어머니가 의아한 눈빛으로 형제를 번갈아보았다.

결국에는 이웃 사람이 붉은색이라는 결론을 내려주어야만 했다. 그들 형제는 모두 적록색맹이었던 것이다.

돌턴은 색맹임에도 불구하고 과학자로서 일생을 보냈다. 특히 색맹에 관한 연구는 그 일생 동안 계속되었다. 그후 사람들은 적록색맹을 돌터니즘(Daltonism)이라고 불렀다.

그는 죽을 때 자신의 눈을 빼어 색맹에 관한 실험을 하라고 그의 친구인 의사 랜섬에게 유언으로 남겼다. 랜섬은 그의 유언을 받아들여 그가 죽은 그날, 그의 눈알을 조심스럽게 뺐다. 죽어서까지 실험을 계속하려는 돌턴의 의지가 눈알을 들어내는 랜섬의 가슴에 무겁게 자리잡았다.

성공에는 에누리가 없다

◆

인간에게 있어서
가장 중요한 것은 각자의 일에서
진보를 찾아 힘쓰는 것이다.

페인먼은 로저스와 사장을 번갈아 쳐다보았다. 황혼길로 접어든 로저스는 회사 일로 사장과 대판 싸우고 있었다.

"그럴려면 당신은 내일부터 이 회사에 나오지 마!"

해고된 로저스를 바라보니 마음이 찹찹했다.

야간작업을 하는 도중에도, 오랜 시간을 회사에 투자하고도 46세의 나이로 해고된, 로저스의 얼굴이 눈에 어른거렸다. 11시 30분 무렵까지 일하고 있는 그에게 친구한테서 전화가 왔다.

"캐빈, 만약에 말이야. 내가 46세 때 사장과 싸워서 쫓겨나면 어떻게 하지?"

페인먼은 친구 캐빈에게 낮에 있었던 로저스의 해고 사건을 이야기했다.

“이봐, 난 사업에 관해서는 잘 모르지만 사장을 위해 11시 30분까지 일하고 있는 자네를 보니 매우 딱하군. 내가 보기에는 자네가 하는 짓은 사장의 자식들을 더 부자로 만들어주기 위해 사업을 키워주는 것 같아. 그 정력을 어째서 자네 자신을 위해 쓰지 않나.”

페인먼은 그후 사표를 제출했다.

그리고 나서 시카고 행 비행기에 몸을 실었다. 옆좌석에 앉아 있는 반백의 신사는 그의 이야기를 듣더니 그 평생 좌우명으로 남을 이야기를 해주었다.

“여보게, 젊은이, 성공에는 에누리가 없다네.”

비행기가 시카고에 이르자 페인먼은 활기차게 트랩을 밟고 내려왔다.

자신의 일을 향한 제프리 페인먼의 재출발이 시작된 것이다.

절망적인 붉은 반점은 그녀를 성공케 했다

희망은
힘찬 용기이며 새로운 의지이다.

'왜 내 얼굴에는 붉은 반점이 있지? 하느님도 무심하시지. 이토록 보기 흉한 반점을 남겨 놓을 바에야 차라리 태어나지 말게 하지.'

올레리는 거울을 덮어버렸다. 다른 친구들과 어울리고 싶었지만, 보기 흉한 붉은 반점은 올레리를 한껏 주눅들게 하였다.

올레리의 얼굴에는 선천적으로 추한 붉은 반점이 있었다. 이 반점은 극단적인 대인공포증을 낳게 하였다. 그녀는 학교를 다니는 것조차도 부끄러워하였다. 그녀는 극심한 열등감에 빠졌고 이 때문에 그녀의 생활은 비참하기만 했다.

그러나 모든 인간사는 낭떠러지 끝에 서 있다는 극도의 절망감 속에서 희망은 싹트는가 보다. 극도의 절망에 빠진 올레리는 더이상 절망할 게 없음을 깨달았다.

'난 절망 끝에 서 있어. 더이상의 절망은 없어. 이대로 끝내기에는 너무 억울하잖아. 더이상의 체념은 하지 않겠어. 이 지긋지긋한 반점을 정복해보겠어.'

화장품을 사들여 파운데이션을 짙게 발라보기도 하고, 다른 색채를 덧씌워보기도 했다.

'좀 엷어진 것 같긴 하지만 아직도 보기 흉해. 어떻게 해야 하지.'

체념은 다시 고개들고 그녀를 엄습하려 했지만 그녀는 스스로 용기를 북돋았다.

성형외과에도 갔다. 두려웠지만 그녀는 두려움을 떨쳐버리기라도 하듯 거칠게 탕탕 문을 두드렸다. 하지만 성형외과 의사도 그녀에게 도움을 주지 못했다.

'아, 기존의 약품이나 기술로는 이 반점을 고칠 수 없나보다. 그렇다면 내가 한번 만들어봐야지.'

그녀는 자기의 반점을 감추는 특수한 화장품을 만들기 위해 화학자의 협력을 요청했다. 그들은 드디어 그 반점을 완전히 감출 수 있는 합성제를 만들어냈다. 이 크림은 참으로 자연스러웠으며 퇴색되지도 않았다.

이 결과 리디어 올레리는 새로운 여성으로 태어난 듯했다. 그녀의 인생관도 바뀌었다. 그녀의 열등감도 사라졌다.

그녀는 발명한 화장품을 제조하기 시작했다. 의사들은 병원으로 와서 환자들에게 이 화장품의 효과를 인지시켜 달라고 요청했다. 그녀의 제품은 붉은 반점, 검은 점, 좋지 못한 안색, 얼룩, 주근깨까지도 숨겨주었다.

추진

어떤 곤란이 다가오더라도
처음 먹은 마음으로 밀고 나가면
그 곤란은
반드시 관철할 수 있다.

더비가 숙부를 도와 방앗간에서 낡은 맷돌로 밀을 빻고 있을 때의 일이었다. 그의 숙부는 그 당시 많은 흑인 소작인을 거느린 대농장의 경영자였다.

한참 일에 열중해 있을 때였다. 조용히 방앗간 문이 삐이걱 소리를 내며 열리더니 어느 흑인 소작인의 딸이 들어왔다.

숙부는 그 소녀를 한번 쓱 돌아다보며 매정한 어투로 물었다.

"무슨 일이냐?"

그 귀여운 여자 아이는 나긋나긋한 목소리로 대답했다.

"엄마가 50센트를 받아오라고 하셨어요."

숙부는 버럭 소리를 쳤다.

"안 돼! 빨리 돌아가."

벼락 같은 소리에 겁먹은 소녀가 고분고분 대답했다.

"네."

그런데 이상했다. 대답과는 달리 소녀는 한 발자국도 그곳에서 움직이려고 하지 않았다.

숙부는 얼마나 일에 열중해 있었는지 미처 그 소녀가 여전히 그 자리에 서 있는 것을 알지 못하는 듯했다.

이윽고, 다시 얼굴을 들었을 때 비로소 소녀를 보고 또 소리를 버럭 내질렀다.

"아니, 집으로 냉큼 돌아가라고 했는데 여태 뭘하고 있느냐? 어서 빨리 돌아가지 않으면 혼내줄테다."

이 말에 소녀는 다시 흠칫 놀라면서 대답했다.

"네에."

그러나 역시 대답일 뿐 꼼짝도 하질 않았다.

이 모습에 화가 난 숙부는 맷돌에다 쏟아 넣으려던 밀푸대자루를 바닥에 던져놓았다. 그리고는 곁에 있던 저울대를 집어들고 험악한 얼굴로 소녀 쪽으로 다가갔다.

더비는 숙부와 소녀의 이런 묘한 모습을 숨을 죽이고 지켜보았다.

몹시 화가 난 숙부의 얼굴 표정으로는 틀림없이 당장 큰일이 벌어질 것으로 생각되었기 때문이었다.

이런 험악한 모습의 숙부가 소녀 앞에 당도하기 전에 소녀가 먼저 한발 다가섰다. 그리고 숙부를 올려다보면서 또렷한 목소리로 말했다.

"어쨌든 엄마는 50센트가 꼭 필요한걸요."

너무도 당당한 모습이었다.

기가 질린 숙부는 걸음을 멈추고 찬찬히 소녀의 귀여운 얼굴을 들여다보았다. 잠시 후 들고 있던 저울대를 바닥에 내려놓고 주머니에 손을 집어넣어 50센트 지폐를 꺼냈다. 그리고 나서 소녀에게 그 돈을 슬그머니 내밀었다.

돈을 받자 소녀는 지금 막 싸워서 이긴 상대의 눈을 응시한 채 천천히 문쪽으로 뒷걸음질치며 나갔다. 소녀가 방앗간에서 나가자 숙부는 넋나간 듯 상자 위에 걸터앉아 10분 이상이나 방앗간 창문 밖 허공을 멍하니 바라보고 있었다. 숙부는 공포에 가까운 기분으로 방금 체험한 일을 생각하고 있었던 것이다.

더비는 생명 보험의 세일즈맨으로서 이 소녀가 그에게 가르쳐 준 귀중한 교훈을 30여 년간 잊지 않았다. 어떤 곤란이 다가오더라도 처음 먹은 마음으로 밀고 나가면 그 곤란은 반드시 헤칠 수 있는 것이다.

용기와 근면의 호라티오 넬슨 제독

꽃은
암흑의 순간에 자라난다.

산타 크루즈 대전 중이었다.
작은 보트의 뱃머리에 서서 그는 야간 공격을 지휘하고 있었다.

"아앗!"

"제독님! 조심하십시오."

그때 적 진영에서 포환이 그를 향해 날아왔다. 눈 깜짝할 새 다행인지 불행인지 그 포환은 오른쪽 팔의 팔꿈치를 스치고 지나갔다. 바른팔에서는 피가 뚝뚝 떨어졌고 그는 심한 통증을 느꼈다.

"제독님! 어서 치료를 받으십시오. 여기는 저희가 알아서 처리하겠습니다."

"필요없다. 괜찮으니 계속 전진이다. 알았나, 대령!"

제독의 팔에서는 피가 계속 흘러내렸다. 어쩔 수 없었다. 제독의 부관들은 상처치료를 위해 그를 부축하여 모선으로 갔다.

모선의 군의관들은 이미 다른 부상병들을 치료하느라 바쁘게 움직이고 있었다. 부산했다.

"아으, 아아, 아아."

여기저기서 신음소리가 터져나왔다.

"제독님을 먼저 치료해야 한다."

군의관들은 제독을 향해 재빨리 달려왔다.

"제독님, 치료를 받으십시오. 어서 팔의 치료를……."

"어서 돌아가라. 다른 부상병들이 많지 않느냐. 그들을 먼저 치료하라. 나는 줄을 서서 기다리겠노라. 차례가 되면 치료하겠다."

강건한 그의 태도에 군의관들은 하는 수 없었다. 피를 흘리며 차례를 기다리는 사이사이에 고아로 자라 해군 제독의 지휘에 오를 때까지의 일들이 간간이 떠올랐다.

드디어 그의 차례가 되었다. 그러나 피를 너무 많이 흘린데다 팔의 신경은 이미 끊어져 있었다.

"제독님의 팔은 이제 쓸모없습니다. 절단을 해야 합니다. 너무 늦었어요. 재생하기에는……."

제독은 허락했고 수술은 시작됐다. 마취제도 없었다. 뼛속까지 스며드는 고통이었다. 그러나 제독은 눈썹 하나 까딱하지 않고 자신의 팔이 절단되는 것을 보며 그의 비서에게 전쟁현황 보고서를 쓰게 했다. 그의 말을 받아쓰던 비서는 눈물범벅이 된 눈을 자꾸 훔치며 기록했다. 제독 앞에서는 함부로 눈물을 보여서는 안 될 것 같았다. 그러나 눈물은 자꾸만 흘러내렸다. 거기에는 지휘관의 오른팔을 절단했다는 사실을 포함시키지 않았다. 그것은 전쟁의 승리에 방해가 될 것 같았기 때문이었다.

6개월 동안 제독은 나폴레옹 군함들을 모두 파괴시켰다. 영국으로 귀환했을 때 열렬한 환호는 그칠 줄 몰랐다. 그는 바로 영국의 제독 호라티오 넬슨이었다.

갓난 아기가 무슨 소용 있을까

◆

등산의 기쁨은
산정을 정복했을 때에 그 정점에 이른다.
그렇지만 우리에게 있어서 최고의 즐거움은
험한 산길을 기어오르고 있을 때이다.
험하면 험한 만큼 심장은 고동치고
용기는 용솟음친다.

"벌써부터 게으름 피우는 것만 배웠니?"
주인의 호통에 패러디는 《대영백과사전(大英百科事典)》을 덮고 일어섰다.

좀전에 일을 다 끝냈는데 거무스레하게 때가 입혀진 낡은 목재 탁자 위엔 벌써 일거리가 또 놓여 있었다.

대장장이의 아들로 태어난 패러디는 14살이 되었을 때 제본소에 맡겨졌다. 가난한 부모는 한 아이라도 어서 커서 공장에 나가 제 밥벌이라도 하는 게 소원이었다.

그러나 패러디는 남이 쓴 책을 제본하는 데만 만족할 수 없었다. 그래서 그는 주문온 책을 제본하면서 읽어댔다. 그가 특히 관심을 둔 책은 과학 관련 책이었다. 그 무궁무진한 과학의 세계에 푹 빠져들었다.

어느 날, 패러디의 남다른 열망을 지켜보던 제본소 단골 고객이 패러디에게 왕립 연구소의 청강권을 하나 구해주었다. 강의자는 나폴레옹 상을 수상한 경력이 있는 화학자 데이비였다.

다음날부터 패러디는 제본소 일을 마치기가 바쁘게 곧장 연구소로 뛰어갔다. 그리고 밤 늦게 집으로 돌아오면 강의 내용을 필기·정리하여 한 권의 책처럼 만들었다.

어느덧 시간은 흘러 패러디는 숙련공이 되었지만 과학 연구에의 열정은 식지 않았다. 그 방안을 찾기 위해 고민하던 패러디는 데이비에게 편지를 쓰고 그 동안 들은 강의내용을 묶어 만든 책을 보냈다.

이것을 받은 데이비는 크게 감동하여 패러디를 불러 조수로 삼았다. 과학 연구에 몰두할 수 있는 길이 열린 것이다.

패러디의 관심 분야는 전기였다. 먼 훗날 데이비를 이어 왕립 연구소의 소장이 된 패러디는 시민들에게 과학 실험을 보여주고 강연을 했다.

하루는 전기와 자기(磁氣) 사이의 관계를 보여주는 실험을 해보이자 구경하던 한 부인이 말했다.

"그런 실험이 무슨 소용 있죠? 달라진 건 아무것도 없잖아요."

따지듯 묻는 그녀를 보며 패러디는 이렇게 말했다.

"……부인, 갓난 아기가 무슨 소용 있을까요?"

패러디가 세상을 떠난 1867년까지도 전기는 갓난 아기에 지나지 않았다. 패러디는 그 갓난 아기가 어른이 되도록 연구에 연구를 거듭한 것이다. 마치 정말 갓난 아이를 키우는 것처럼.

한 송이 꽃에서 배운 교훈

◆

사랑은 희망과도 같다.
희망은 사람을 행복하게 만든다.
그것 없이는 사람들은 아무것도
이룰 수 없다.

깜깜하다. 소리도, 아무 소리도 들리지 않는다. 정적이다. 정적의 단어의 뜻은 무엇인가. 소리는 없는 것일까.

사각사각 옷자락을 스치며 조심스레 정원을 서성거리는 소녀가 있었다. 소녀는 벙어리에다가, 귀머거리였고, 장님이었다. 더듬어서 찾아낸 꽃 한 송이를 꺾었다.

'선생님께 갖다 드리자.'

꽃을 받아든 선생님은 소녀의 손바닥을 펴서 이렇게 글씨를 썼다. 손가락 끝의 감각으로 글을 읽는 소녀.

"나는 너를 사랑한다."

선생님의 손바닥을 더듬더듬 찾아 물었다.

"사랑이란 무엇이지요? 선생님."

선생님은 소녀를 자신의 옆으로 끌어당겼다. 그리고 자신의 손바닥을 소녀의 가슴 위에 살포시 얹었다.

다시 손으로 하는 대화는 시작되었다.

"사랑은 바로 여기에 있단다."

소녀는 고개를 갸웃거렸다. 도무지 모르겠다는 표정이었다. 자기 손을 가슴에 댔다. 그러나 손바닥 끝으로 무엇인가의 움직임이 느껴졌다. 쿵닥쿵닥 미세하게 뛰는 심장의 고동.

"선생님, 사랑이란 이렇게 향기로운 꽃 내음과도 같은 것인가요?"

"아니, 그렇지 않단다."

소녀는 꽃의 향기를 다 들이마시려는 듯이 언제까지나 코를 꽃에서 뗄 줄 몰랐다.

소녀가 꽃 향기를 잊지 못하고 있던 어떤 날이었다.

그날은 우중충한 날씨였다가 오후에 맑게 개었다. 뭉게구름 사이로 햇살이 내리쬐었다.

"사랑은 이런 것인가요? 어두웠다가 밝아지는 것처럼 말이어요."

선생님은 소녀에게 아니라고 했다.

"사랑은 이런 것이 아니야. 하늘의 구름과 같아. 태양이 머리를 내비치기 전인 그런 때의 구름 말이야."

소녀는 이해를 못하는 것 같았다.

"그것은 이런 거야. 구름은 직접 만져 볼 수 없어. 그러나 그 구름으로 인해서 비는 내리지. 그 비는 손으로 직접 만질 수 있어. 그때 자연은 모두 그 비를 맞으려 야단이지. 그 비는 풀과 나무와 꽃들에겐 생명과도 같아. 따사로운 햇빛을 맘껏 받은 후 쏟아지는 빗줄기는 사랑, 바로 그것인거야. 손에, 눈에 보이지는 않지만 그것을 받으면 한없는 기쁨과 그것의 소중함을 느끼는거야. 행복은 사랑 때문이란다."

"선생님, 사랑은 정말 좋은 것이군요."

"그래, 사랑은 희망과도 같아. 희망은 사람을 행복하게 한단다. 그것 없이는 사람은 아무것도 이룰 수 없단다."

콜레라 균을 마신 교수

◆

내가 남보다 좀 성공했다면
그것은 금덩이가 놓여 있는 미개척 분야에서
일했기 때문이오.

로베르트 코흐는 독일의 작은 시골 의사에 불과했다. 정확히 말하면 의사가 아니라 세균학자였다. 그러나 이 시골 의사는 미생물에 대한 연구방법을 고안하는 등 자기 분야의 미개척 분야를 손 놓고 보지 않았다. 미생물을 염색하여 관찰을 쉽게 할 수 있다는 사실을 발견하였으며, 미생물을 분리하여 길러내는 방법을 고안하기도 하였다.

당시 의학자들은 콜레라는 세균에 의한 것이 아니라 사람의 체질에 따라 걸린다고 믿었다. 그가 콜레라 균을 발견했을 때 의학자들은 허무맹랑한 소리로 취급하기 일쑤였다.

심지어 뮌헨 대학의 페텐코퍼 교수는 아예 이를 증명한답시고 그가 시험관에 배양해놓은 콜레라 균을 꿀꺽 마셔버린 일도 있었다. 이상하게도 페텐코퍼 교수는 배탈 한 번 나지 않고 살아났지만 그의 반대가 코흐의 과학적 증명을 뒤집어놓을 수는 없었다.

1905년 노벨 의학상을 수상한 시골 의사 코흐는 자신의 공적을 치하하는 사람들에게 겸연쩍은 목소리로 이렇게 말했다.

"내가 남보다 좀 성공했다면 그것은 우연히 금덩이가 놓여 있는 의학 분야에서 일하게 되었기 때문이오."

솔직한 사나이

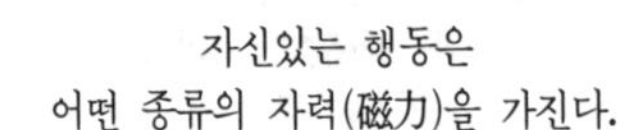

자신있는 행동은
어떤 종류의 자력(磁力)을 가진다.

1864년도 벌써 반밖에 남지 않았을 때였다.

허름한 옷차림의 젊은 남자 한 사람이 서점 문 안으로 들어서고 있었다. 비쩍 마른 체격으로 보아 불량배로 보이지는 않았다. 비록 초췌한 몰골이었으나 얼굴은 웃고 있었으며 눈은 반짝반짝 빛났다.

청년은 라클로아 서점의 카운터로 천천히 걸어갔다. 그리고 조심스럽게 말을 꺼냈다.

"안녕하십니까?"

라클로아는 의문섞인 눈초리로 청년을 바라다보았다.

"무슨 일인가요?"

"저, 이것 좀 봐 주십시오."

청년은 파란색 끈으로 정성스럽게 싼 종이뭉치를 내놓았다.

그것은 원고지였다.

"실은 여기 말고 다른 서점에도 갔었습니다만, 제가 쓴 이 원고를 부탁했는데 쉽게 응해주지 않더군요."

"……?"

"다름이 아니라 제 원고를 당신네 서점에서 출판해주실 수 없겠습니까?"

청년은 처음의 조심스러운 어투와는 달리 주저하거나 결코 머뭇거리지 않고 이렇게 말해왔다.

너무도 당당하고 자신감 있게 이야기하는 청년에게 라클로아는 저으기 놀랬다.

'이렇게 거짓없이 솔직히 자신의 처지를 의논해오는 청년은 내 일찍이 본 적이 없다.'

한편으로는 이 청년이 어처구니없게 여겨지기도 했지만 라클로아는 호기심어린 눈초리로 바라보았다.

"제가 듣기로 여기 라클로아 서점은 다른 곳과 다르다고 알고 있습니다. 특히 주인이신 라클로아 씨는 저와 같은 신진작가라든가, 이름없는 무명작가를 박대하지 않는 좋은 분이시라는 것을요."

청년의 반듯하고 기탄없는 의논의 자세에 마음이 끌린 라클로아는 원고를 받기로 했다.

"당신의 그 태도가 맘에 드오. 어디 한번 봅시다."

그리고 얼마 되지 않아 책은 출판이 되었다. 이 작품은 이 청년의 처녀작으로 서명은 〈콩트 아니농〉이었다. 이 작품은 그리 크게 베스트셀러가 될 만큼 팔린 것은 아니었다. 그러나 프랑스 문단에 처음 데뷔하는 작품으로는 성공적이었다. 이 작품의 저자는 바로 에밀 졸라였다.

어떤 악조건도 견뎌내야

가장 악한 조건에서도
견디어내야만 그 어떤 조건을 만나더라도
꿋꿋이 헤쳐나갈 수 있다.

크세노폰의 저서 《소크라테스 사상의 출발》을 보면 소크라테스가 그의 아들 란푸로크레스와 이야기하는 부분이 나온다.

크세노폰은 소크라테스의 아내 크산티페를 과거, 현재, 미래를 통해서 가장 다루기 힘든 여자라고 표현하고 있다.

아들이 어머니의 행패를 참지 못해 아버지 소크라테스에게 물었다.

"저렇게 거친 어머님의 성격은 어느 누구라도 참을 수 없겠죠?"

"애야, 그렇지만……. 야수의 잔혹한 것과 어머니의 잔혹한 것을 비교하면 어느 쪽이 심하다고 생각하니?"

머뭇거리던 아들은 소크라테스의 얼굴을 마주보며 말했다.

"저는 어머님 쪽이라 생각합니다. 저토록 히스테리컬한 사람은 더이상 없을 겁니다."

"얘야, 그렇다면 네 어머니가 네게 달려들어 물어뜯고, 피 흘리며 죽어가도록 생채기를 입히고 한 적이 있니? 야수한테 그렇게 당한 사람은 많지만……."

"아버님 말씀을 들으면 어머니의 행패는 사소한 것이므로 참지 못한 사람에게 문제가 있는 것처럼 느껴집니다. 저의 인내력이 부족한지 모르지만 아무튼 어떤 과학적인 말도 믿으려 하지 않으십니다."

이런 문답은 계속 이어졌다. 소크라테스는 가장 악한 조건에서도 견디어내야만 그 어떤 조건을 만나도 꿋꿋이 헤쳐나갈 수 있다고 믿었다. 그래서 어머니에 대해 불평하던 아들을 설득시키려 노력한 것이다.

일이 즐거운 사람

나는 일에 지쳐서
죽어간 사람을 본 일은 없지만
그렇게 생각했기 때문에 죽어간 사람은
자주 보았다.

심술쟁이 탈레스

◆

그 사람의 경우에 서보지 않는 한,
그의 일에 대해서 이러니 저러니 말하지 말라.
남은 되도록 용서하고 자기는 되도록
용서치 말라.

밀레토스의 탈레스를 방문한 솔론은 그가 혼자임을 보고 말했다.

"당신은 왜 결혼을 하지 않습니까? 당신에게 아들이 있다면 당신의 삶은 더욱 즐거울텐데요."

탈레스는 할 말을 잃었다. 평균적인 생각으론 솔론의 말이 옳았기 때문이다. 그러나 탈레스는 생각이 달랐지만 솔론의 말에 즉각 응하지 않았다.

며칠 후, 솔론이 탈레스와 담소를 나누고 있는데, 아테네로부터 온 이방인 한 사람이 탈레스의 집을 방문했다.

솔론은 고향 아테네를 들러 왔다는 낯선 남자에게,

"아테네는 아무 일 없이 평화롭습니까?"

라고 물었다.

낯선 남자는 별다른 일 없다고 대답하며 엉거주춤 일어섰다.

솔론은 오랜 여행 중에 만난 아테네의 소식을 알고 있을 그를 그대로 보낼 수는 없었다. 아테네의 이야기라면 풀 한 포기의 유무라도 듣고 싶었다.

"여보게, 아무 얘기라도 좋네. 아테네의 사소한 얘기라도 해주게."

"글쎄요, 무슨 얘길 해야 좋을지……."

향수병에라도 걸린 듯 아테네 소식을 재촉하는 솔론을 낯선 남자는 멀거니 바라보았다.

"아, 이것도 소식이라면 소식이겠지요. 전 시민이 참가한 장례식이 있긴 있었습니다. 한 젊은이의 장례식이었는데 신분이 매우 높고, 게다가 아테네의 수많은 사람들이 그의 부친을 존경했다고 하더군요. 그런데 슬프게도 장례식에 그의 부친은 참석하지 못했습니다. 지금 여행 중이라고 하더군요. 부친의 친구들은 부친에게 커다란 충격을 주지 않으려고 소식을 통제하고 있다더군요."

그러자 불길한 예감이 덮친 솔론은 큰소리로 울부짖었다.

"그, 그 불행한 아버지의 이름은 무엇이라고 합디까?"

"이름을 듣긴 했었지만 좀처럼 생각이 떠오르지 않네요. 지혜로운 철학자라 했는데……."

말끝을 흐리는 그 남자를 향해 솔론은 다그쳐 물었다.

"혹시, 그 아비의 이름이 솔론이라고 하지 않던가요?"

"아, 맞습니다. 바로 솔론이라는 이름이었습니다."

솔론은 너무나 큰 슬픔에 옷을 찢고 머리를 벽에 찧으며 울부짖었다. 그 모양을 지켜보던 탈레스는 말했다.

"매우 유감이군요! 어떤 말을 해야 위로가 될는지요. 이

보다 더 큰 슬픔은 없겠지요?"

솔론의 통한의 눈물은 멈출 줄 몰랐다.

"그렇습니다. 나는 이제 다시 볼 수 없는 자식 때문에 탄식하고 있는 것입니다."

너무나도 슬퍼하는 솔론의 모습을, 그에 걸맞게 슬퍼하며 지켜보던 탈레스가 갑자기 폭소를 터뜨렸다.

"이제 내가 결혼을 하지 않은 이유를 아셨지요. 솔론님, 더 이상 탄식하지 마십시오. 당신이 지금 들었던 소식은 완전 허구입니다. 이것은 장난으로 내가 꾸며낸 연극이니까요."

다른 사람에게 자신의 견해를 이해시키는 방법은 여러 가지가 있다. 탈레스는 가장 심술쟁이 같은 방법을 썼지만, 솔론은 탈레스가 결혼하지 않는 이유를 충분히 이해했다.

시간은 돈이다

◆

돈은 지금
당장 없어도 좋습니다. 나중에 벌면 그만이지요.
그러나 시간은 다시 오지 않습니다.
한번 지나가면 그만입니다.

"이 책 값이 얼마인가?"

책꽂이에 꽂혀 있는 책들을 뒤적이던 손님이 한 권의 책을 빼어들고 물었다.

"아 예, 그 책은 1달러입니다."

하던 일을 멈춘 점원은 사무적인 어투로 말했다.

"비싸군. 좀 깎읍시다."

"안 돼요. 단 한 푼도 깎을 수 없습니다."

몇 번의 실랑이가 있었지만 단호히 거절하는 점원의 말에 손님은 짜증섞인 어투로 주인을 불러달라고 요청했다.

"죄송하지만 지금 안 계십니다. 저희 주인은 급한 일이 생겨서 인쇄소에 가셨습니다."

"미안하지만 좀 불러주게."

점원이 인쇄소까지 뛰어가 자초지종을 설명하자 주인은 부리나케 달려왔다.

"제가 서점 주인입니다만, 책 값을 깎으시겠다고요?"

"그렇소. 얼마에 팔 수 있습니까?"

"1달러 25센트로 깎는 것이 가능합니다."

홍정이 될 것 같아서 내심으로 기뻐하던 손님은 저으기 놀라지 않을 수 없었다.

"뭐라구요. 도대체 그게 무슨 말이요."

손님은 황당하다는 듯이 깜짝 놀라며 물었다.

"1달러에서 좀 깎자고 하는데 값을 더 부르다니, 이건 더 비싼 가격이 아니오."

주인은 아무런 동요도 없이 이렇게 대꾸했다.

"손님! 그 책은 이제 1달러 50센트요."

"뭐라고요?"

손님은 어리둥절하게 주인을 바라보았다. 주인은 잠시 뜸을 들인 후 계속 말을 했다.

"손님, 나는 굉장히 바쁜 사람입니다. 적어도 나에게는 시간은 절대적 존재입니다. 결코 시간을 돈 따위로는 살 수 없습니다."

"돈은 지금 당장 없어도 좋습니다. 나중에 벌면 그만이지요. 그러나 시간은 다시 오지 않습니다. 한번 지나가면 말입니다."

손님은 할 말이 없었다. 그의 말은 틀린 데가 한 군데도 없는 것이다.

"자, 여기 있소. 1달러 50센트."

이와 같이 시간의 중요성을 그 생활 속에서 실천한 서점 주인은 다름아닌 벤자민 프랭클린 그였다. 이런 철학을 가졌기 때문에 미국을 독립국가로 세우는 데 크게 일조한 위대한 정치가가 된 것이다.

유용한 시간 관리

◆

사려 깊은 사람은
시간의 손실을 가장 슬퍼한다.

런던 시의 한 관리와 만나기로 약속한 웰링턴은 약속 시간이 가까워지자 약속 장소인 런던 다리로 향했다. 사람들은 별로 없었다.

웰링턴은 시계를 보았다. 2시였다. 약속 시간에 정확했다. 그러나 관리의 모습은 보이지 않았다. 웰링턴은 다리 밑으로 흐르는 강줄기를 내려다보았다. 역사적인 강이었다. 조국 영국을 돌봐주는 어머니의 젖줄 같은 강이다.

잠깐 이런저런 사념에 빠져 있던 웰링턴은 다시금 시계를 쳐다봤다. 2분이 지났다. 눈을 돌려 주위를 살폈다. 그러나 자신이 만나고자 하는 관리의 모습은 그 어디에도 보이지 않았다. 그처럼 누구를 기다리느라 서성대는 사람도 많았다.

짜증이 났다. 다시 시선을 수면 위로 던졌다. 오랜만에 날씨가 맑아서인지 수면은 금빛 물결을 살랑거리고 있었다. 흡사 금가루를 뿌려놓은 듯했다.

'무슨 일이 일어났을까?'

도무지 관리의 그림자는 나타날 줄 몰랐다.

5분 가량 지났을 때 관리의 모습이 보이기 시작했다. 관리는 허겁지겁 뛰어오는 기색도 전혀 없었다. 먼저 와 기다리고 있는 자신의 모습을 보고도 천천히 느긋하게 걸어오고 있었다.

"벌써 5분이나 늦었네."

관리의 표정은 뭘 그 정도 갖고 그러느냐는 듯 제법 불쾌한 표정을 지으며 말했다.

"아니, 뭘 그리 화내나. 많이 지각한 것도 아니고 겨우 5분이네, 5분."

"겨우 5분이라고? 여보게, 그 5분 동안 나의 군대는 벌써 패전했을 지도 모르는 일 아닌가. 5분이란 시간은 그런 급박한 상황에서는 매우 긴 시간이야."

얼마 후에 웰링턴과 그 관리는 또다시 만나기로 약속했다.

웰링턴은 이번에도 정확했다. 약속 시간에 딱 맞춰서 만나는 장소로 나갔다. 그런데 이번에는 그 관리가 먼저 와 기다리고 있는 게 아닌가?

"웰링턴, 어떤가, 5분이나 먼저 와 있었네."

득의 양양하게 말하는 그에게 웰링턴은 뜻밖의 말을 했다.

"자네는 도대체가 시간의 가치를 전혀 모르는 사람 같군그래. 나는 정확한 시간을 지켰는데……. 5분씩이나 일찍 왔다고? 자네는 귀중한 시간을 그냥 쓸데없이 날려보낸 것일세."

이번에도 낭패를 당한 관리는 할 말이 없었다.

믿음

◆

보통 생각할 수 있는 것이지만
확신은 능력에 따른 페이스를
유지하는 것이다.

영국의 에드워드 7세는 일찍이 과학에 눈을 뜬 사람이었다. 그는 곧잘 과학연구회나 실험에 참가하기도 했다.

황태자 시절 에드워드 7세는 플레이 페어의 화학 강의를 들으러 갔다. 학생들은 이미 자리에 앉아 페어의 열띤 강의를 기다렸고, 에드워드 7세도 그의 강의에 흥미를 느끼고 있었다. 페어의 책상 한 구석의 냄비에는 끓고 있는 납이 있었다.

뒤늦게 강의실에 도착한 페어는 두어 번의 헛기침 끝에 느닷없이 말을 꺼냈다.

"알제리의 마술사들이 뜨거운 철을 몸에 대도 화상을 입지 않은 까닭은 무엇이었을까요?"

학생들은 서로의 얼굴만 쳐다보았다. 간혹 마술사들은 특별한 힘을 부여받은 색다른 사람이기 때문이라고 자기 의견을 내세우는 학생도 있었다.

페어는 그 학생의 말을 뚝 잘랐다.

"높은 온도로 가열되어 녹은 금속이라면 사람의 몸이 닿아도 화상을 입지 않을 수도 있을 겁니다."

페어의 말을 믿을 수 없다는 표정이 학생들 사이에 퍼져나갔다. 에드워드도 마찬가지였다.

이때 페어는 에드워드를 바라보며 싱긋 웃었다.

"황태자님, 만일 황태자님께서 과학을 믿으신다면 오른손을 이 냄비 속에 넣어보십시오."

페어가 가리킨 냄비 속엔 이미 납이 끓어서 섭씨 1500에서 1700도의 온도로 녹아 있었다.

"그 녹아 있는 납을 손으로 집어내 찬물로 옮겨주십시오."

에드워드는 멈칫했다. 그러나 곧 암모니아로 손의 기름기를 없앤 다음, 납 속에 손을 넣었다. 그리고 납을 집어올렸다. 학생들은 놀란 얼굴로 감탄사를 연발했다.

페어는 그들을 둘러보며 빙긋 웃었다.

"황태자님께서 화상을 입지 않은 것은 수분이 납과 피부 사이에서 일종의 쿠션과 같은 역할을 했기 때문입니다."

찬물에 납을 넣고 나서 수건에 손을 닦는 에드워드의 손이 파르르 떨리고 있었다.

천재란 무엇인가

◆

아마도 천재란
편견을 물리치는 용기와 진정한 마음, 그리고 넓은 관용과
한없는 연민 같은 것입니다.

아나톨 프랑스의 집은 언제나 방문객들로 문전성시를 이루었다. 하루는 시드니 대학 언어학 교수가 찾아왔다.

아나톨 프랑스는 그와 좌담을 나누다가 급기야는 문학 쪽에 화제가 돌아갔다.

"프랑스, 대체 문학적 천재란 무엇일까요. 천재의 천재다운 자질은 문장 속에 있나요?"

"아니요."

교수의 물음에 프랑스는 대답했다.

"자고로 천재라 불리우는 사람들은 모두 다 그렇지 않았지요. 라블레나 몰리에르, 발자크는 명문장가는 아니었습니다. 문법상 부정확하고 난폭하지요. 오히려 평범한 작가에게 문장

력은 훌륭했지요. 천재는 명문장을 초월한 것이랍니다.”

“천재란 노력의 결과입니까? 인내입니까?”

“아닙니다. 세르반테스, 라블레, 셰익스피어도 노력하지 않고서도 위대한 작가가 됐지요. 모순된 점이라든가 완벽하지 못한 데도 그러한 결함들이 이미 뛰어난 천부성과 결부되어 있지요. 선천적으로 위대합니다.”

“그렇다면 천재는 절대적으로 상상력인가요. 창조의 재능 말이어요.”

“결코 그렇지 않습니다. 창조는 모방에서 온 것입니다. 다른 작가들의 소재거리를 서로서로 빌리는 것이지요.”

교수의 의심은 점점 깊어졌다.

“그러면 얻은 소재를 새롭게 재구성하는 기술이 천재입니까?”

“그렇다고는 생각되지 않습니다. 라블레도 세르반테스도 결코 구성 따위는 신경쓰질 않았지요. 붓 가는 데로 썼지요. 지칠 줄 모르는 집필이지요. 그래도 작품들은 훌륭합니다.”

“점점 더 알 수가 없군요. 대체 천재를 정하게 되는 그 표준은 무엇인가요?”

“먼저 현재에서 천재적 작가에 대한 평가는 유행에 의해 정해집니다. 그 다음에는 과거에 있어서 천재적 작가에 대한 평가는 습관에 의해 정해지지요.”

이 말에 언어학 교수는 확실한 답을 구하지 못한 데서 느끼는 실망을 역력히 드러냈다. 이 모습을 본 프랑스는 말했다.

“확실한 것은 모르지만 아마도 천재란 것은 편견을 물리치는 용기와 진정한 마음, 그리고 넓은 관용과 한없는 연민 같은 것을 말하는 것일 것입니다.”

교수는 미소를 지었다, 이제는 알겠다는 듯이.

아나톨 프랑스는 1921년 노벨상을 받았다. 그의 이 마지막 천재에 대한 정의는 바로 그 자신의 삶의 지표였던 것이다.

난 쥴리어스 시저요

◆

자기의 의무를
완수하려고 힘을 다하는 자는,
인류애 즉 모든 사람들의 행복에 대한 희망을 눈앞에 볼 것이오.
자기의 의무를 완수함에 있어서 힘의 부족을
부끄러워하는 자는, 그것을 완수함에 필요한 정신력을
눈앞에 볼 것이다.

〈코스모폴리탄〉 편집자인 윌리엄 C. 렌젤은 대통령의 원고가 게제된 이번 호의 증쇄(增刷)를 인쇄소에 신청했다.

그의 직감이 들어맞았다. 그는 루즈벨트가 대통령에 당선되기 직전, 그가 당선되리라 확신하고 그의 원고를 받아두었던 것이다. 게다가 루즈벨트는 다른 잡지에 기사를 주지 않기로 약속했다. 완전 특종이었다. 만사가 순조로웠다.

"룰루랄라……."

입에서는 흥겨운 휘파람 소리가 끊이지 않았다.

증쇄를 신청해둔 며칠 후, 세면대에서 날을 세운 칼로 맵시있게 면도를 하는데 흑인 가정부가 호들갑스럽게 그의 곁으로 다가왔다.

"대통령께서 전화를 하셨습니다."

렌젤은 장난꾸러기 친구 녀석 패리스가 생각났다.

'제기랄, 패리스 그 녀석 장난기가 또 발동했나 보군. 이 바쁜 시기에 그 녀석의 장난 전화나 받아야 하다니.'

렌젤은 성큼성큼 전화기 앞으로 다가가 수화기를 들었다.

"여보세요, 대통령 각하신가요. 나는 쥴리어스 시저요."

패리스의 장난에 적당한 보답으로 렌젤은 목소리를 한껏 내리깔고 말했다.

그런데 수화기에서 들려오는 목소리는 패리스의 목소리가 아니라 루즈벨트의 목소리였다.

"렌젤 씨, 이전번 원고의 교정쇄를 보여주십시오."

"네? 교정은 몇 개월 전에 보시지 않았습니까? 지금 인쇄가 돌아가고 있는데요."

"뭐라구, 그건 곤란하네. 지금 변경사항이 많이 생겼네. 교정을 다시 한 번 꼭 봐야 되네."

루즈벨트의 명령은 절대적이었다. 렌젤에게 달리 어떤 방법은 없었다.

렌젤은 〈코스모폴리탄〉지의 인쇄를 즉각 중지시키고 대통령 비서관에게 교정쇄를 넘겼다.

웬지 불안했다. 수개월 동안 밀고 나간 일이 물거품이 될 것만 같았다.

설상가상, 화불단행이라고 청천 하늘에 날벼락 같은 소식이 업계의 정보통을 통해 들어왔다. 라이벌 잡지인 〈리버티〉에서도 대통령의 원고를 받아 게재한다는 것이었다. 게다가 〈리버티〉지의 발행일은 〈코스모폴리탄〉지보다 빠르다.

렌젤은 이성을 잃을 지경이었다. 그 사이 교정쇄에 수정을 가한 원고가 들어왔지만 이제 모든 것은 허사였다.

화가 머리끝까지 치밀어오른 렌젤은 대통령에게 전화를 걸었다.

"어떻게 이런 일이 있을 수 있습니까? 원고를 우리 잡지에만 주신다고 약속하시지 않으셨습니까?"

대통령은 웃으며 대답했다.

"들어보게, 렌젤. 그 동안 〈리버티〉지는 나를 많이 도와줬네. 옛 정리(情理)를 생각해서라도 거절할 수 없었네. 하지만 자네에게 준 원고가 훨씬 좋은 것이네."

그 한 마디 말로 모든 맺힘이 풀어질 리 없었다. 실망감이 너무 큰 렌젤은 그만 자리에 드러눕고 말았다. 특히 특종을 잡고 날뛸 〈리버티〉지를 생각하면 미칠 지경이었다.

'그 빌어먹을 〈리버티〉지의 코를 납짝하게 하려면 어떻게 해야 할까? 방법은 딱 하나 〈리버티〉보다 빨리 발행하는 길밖에 없는데, 뱁이 꼴려서라도 이대로 주저앉을 수 없지.'

렌젤은 자리를 훌훌 털고 일어났다. 그러나 그 앞에는 인쇄뿐만 아니라 수정된 원고를 재편집해야 하는 일도 하나 늘어난 상태였다. 거의 불가능했다. 그는 편집자, 인쇄소, 제본소에 손을 써서 삼위일체로 밤낮을 가리지 않고 일하게 했다.

그 결과 1933년 〈코스모폴리탄〉 1월호는 〈리버티〉보다 일찍 발행되었다. 권두 특집인 '새로운 합중국의 지도자, 차기 대통령 프랭클린 루즈벨트'라는 기사는 크게 히트하여 날개돋친 듯이 팔려나갔다.

태풍의 결과

◆

우리의 도리는
성공에 있지 않고 실패에 꾸준히
더욱 전진하는 것이다.

태풍이 몰아치던 간밤을 뜬눈으로 지샌 로버트는 이른 아침 차를 달려 자신의 식료품 가게로 왔다.

가게는 그의 예상을 증명이라도 해주듯 엉망이었다. 왼쪽 차양은 바람에 날아가버렸고, 오른쪽 차양은 너덜거리고 있었다. 가게 안은 빗물로 가득 차 있어서근 한 달 정도는 가게 문을 닫아야 할 것 같았다.

그는 우선 물품들을 밖으로 꺼냈다.

주변 다른 가게의 사정도 마찬가지였다. 아예 수리점에 연락하고 집으로 들어가버리는 치들도 있었다.

로버트는 다음날 텐트를 하나 가지고 가게로 나왔다. 그리고 가게 옆에 텐트를 치고 장사를 시작했다. 텐트의 입구에는 다음과 같은 간판이 걸려 있었다.

"어처구니없는 일을 당했습니다. 충격을 조금이라도 가볍게 해주십시오. 이곳에 들러 쇼핑을 하세요."

간판을 본 손님들은 웃기 시작했고 왁자지껄 가게 안으로 몰려들었다. 위트 넘치는 그 작은 텐트 가게를 그냥 지나칠 수 없었다.

결과적으로 태풍은 로버트에게 행운을 불러들인 셈이 되었던 것이다.

내일 다시 시작합시다

◆

우리가 잃은 건 돈뿐이오.
우리는 다시 해낼 수 있소. 당신과 내가 버젓이 사랑으로 남아 있는데
뭐가 걱정이오. 자, 오늘은 푹 쉬고
내일 다시 시작합시다.

1929년, 불황은 삽시간에 전세계로 퍼져나갔다. 특히 월 가(Wall 街)의 몰락은 많은 사람들에게 경제적 파탄을 가져왔다. 들이닥친 불황에 대한 무력감에 수많은 사람들이 자살을 했고, 빌딩의 창문을 통해 뛰어내리는 사람도 많았다.

월 가(Wall 街)에서 주식 브로커를 하고 있는 폴은 어느 날 밤 늦게 귀가하여 잠자리에 들었다.

인기척에 잠이 깬 아내는 걱정스레 그를 바라보았다.

"여보, 요즘 월 가가 무너진다고들 하는데 당신은 아무 일 없어요?"

"괜찮아, 만사 오케이야."

그래도 어둔 표정을 잃지 않고 앉아 있는 아내에게 살며시

덧붙였다.

"하지만 여보, 우리는 전재산을 몽땅 날렸어요. 이 집까지도."

아내는 놀라 벌떡 일어났다.

그러나 엄청난 일을 당한 남편의 모습은 태연하기만 했다. 그런 폴의 모습에 일루의 희망을 걸어보면서도 흘러내리는 눈물을 주체할 수 없었다.

"울지 말아요."

폴은 아내의 들썩이는 어깨를 감싸안았다.

"걱정말아요. 우리가 잃은 건 돈뿐이오. 우리는 다시 해낼 수 있소. 당신과 내가 여기 버젓이 사랑으로 남아 있는데 뭐가 아쉬워서 우는게요. 자! 울지 말아요. 오늘은 푹 쉬고 내일 다시 시작합시다."

그 뒤 폴은 사소한 일일지라도 열심히 일했다. 그리고 몇 년 후에는 월 가의 몰락으로 잃었던 재산을 복구할 수가 있었다.

마지막 1센트까지 갚겠다

◆

생각만 하지 말고
일하라. 이것이야말로 인생을 감당하게 하는
유일한 방법이다.

마크 트웨인, 그는 위트와 모험에 충만한 사람이었음은 분명한데 투자에는 영 젬병이었다. 그가 투자한 곳마다 족족 파산하여 저술, 강연으로 벌어들인 돈은 휴지조각처럼 날아가버리곤 했다.

어느 날, 알렉산더 그래함 벨이라는 청년이 찾아왔다.

"선생님, 제가 전화라는 것을 발명했습니다. 만약 투자를 하신다면 크나큰 이익을 남기실 수 있습니다."

"뭐! 뭐라고. 앉아서 5블럭이나 떨어진 사람과 말을 할 수 있다구?"

마크 트웨인은 코웃음을 쳤다. 멀거니 서 있는 벨이 민망할 정도였다.

"여보게, 젊은이. 자네가 보기에 내가 바보로 보인지는 모르지만 그렇게 큰 바보는 아닐세. 흥! 철사줄 하나로 5블럭이나 떨어진 사람과 말을 할 수 있다구. 어림없지. 난 한 푼도 투자할 수 없으니까 그만 돌아가게."

벨은 봉변이라도 당한 듯 서둘러 그 집을 빠져나올 수밖에 없었다.

다음날 마크 트웨인은 벨의 전화에 투자할 만한 돈 500달러를 친구에게 빌려주었다. 그러나 그 친구는 사흘만에 폭삭 망해버리고 말았다. 만약 그 돈을 벨의 전화에 투자했더라면 세월이 흐름에 따라 몇천만 달러로 증식했을지도 모르는데…….

58세가 되던 1893년 트웨인은 거액의 부채로 숨을 쉴 수도 없는 지경에 이르렀다. 미국 전체는 불황으로 허덕였고 그는 신병으로 허덕이던 때였다. 자신의 파산 선고를 하고 나앉으면 어찌 되었건 부채라는 무거운 짐을 벗어던질 수 있었다. 하지만 그는 그 수법을 쓰지 않았다. 그는 그 앞에 놓인 고난을 담담하게 받아들였다. 너무나도 유머러스한 그였기에 혹은 고난에 대한 코웃음 침도 있었을지도 모른다.

"난 아직까지 건재해. 좋아, 빚따윈 1센트라도 남기지 않고 모조리 갚을 테다."

그는 호언장담했다.

그후, 그는 그 어느 때보다도 열심히 저술하는 한편, 세계 각지를 돌아다니며 강연을 했다. 신병 때문에 오랜 여행과 강연은 힘들었지만 꼬박 5년 동안을 빚을 갚기 위한 강연 여행을 계속했다.

그의 길은 역시 경제적인 투자가 아니라 저술과 강연이었다. 그가 가는 곳마다 초만원이었다.

마침내 최후의 1센트까지 깨끗이 청산하고 났을 때 마크 트웨인은 이렇게 말했다.

"이걸로 무거운 짐은 다 벗은 것 같다. 아무런 괴로움도 없게 되어 실로 유쾌한 기분이다. 그러나 무엇보다도 일을 하는 즐거움을 맛볼 수는 있었다……."

루이 암스트롱의 정열

그것을
완수하기 위하여 노력하는 자는
아무런 공포도 없다.

"팍 파파팍."
"쿵 부지직."
"아얏."

선술집은 아수라장이 되었다. 아비규환과도 같았다.

미국 남부의 조그만 시골 술집이었다. 권커니 잣커니 서로 수작을 부리다가 싸움판으로 번진 것이다.

이런 일들이 이 조그만 시골 선술집 뿐만 아니라 전국적인 술집에서 종종 볼 수 있는 상황들이었다.

서로 치고 받던 싸움은 어느새 유혈극으로 변했다. 여기저기에서 피가 터져나왔다. 얼굴은 온통 피투성이들이었다.

술을 마시던 손님과 그곳에서 연주하던 악단들, 심지어 주인까지 모두 도망쳐버렸다.

싸움이 한창 무르익었을 때 경관들이 들이닥쳤다.

싸움을 하던 사람들은 후다닥 도망을 쳐버렸다.

가까스로 평정된 술집 안은 난장판이었다. 그런 혼잡한 모습엔 아랑곳하지 않고 어디선가 음악소리가 들려왔다. 정말 어울리지 않는 정경이었다.

그 음악소리는 트럼펫으로 연주되는 재즈였다.

다른 연주자들은 모두 가버리고 없는 무대 한쪽 구석에서 연주에 푹 빠져 있는 사람이 있었다. 경찰관들은 그에게 다가갔다. 이 난장판 싸움의 사건 경위를 묻기 위해서였다.

그 연주자는 경찰들이 다가가는 것도 모르는 양 계속 연주를 했다. 경찰 중 한 사람이 그에게 물었다.

"이 싸움의 상황을 좀 설명해주시겠습니까?"

"……?"

그 연주자는 그저 멍하니 그 경찰을 쳐다볼 뿐이었다.

"답답하군, 도대체 누가 먼저 싸움을 걸었느냔 말이오!"

따지듯 묻는 경찰의 물음에 정신이 번쩍 든 그는 되물었다.

"누가 싸움을 했다는 말인가요?"

경찰은 이 말이 기가 막히다는 듯 손짓으로 술집의 난장판된 모습을 보라고 했다.

"이게 어떻게 된거요? 도대체 무슨 난리가 났죠?"

놀라 묻는 그의 말에 경찰은 덩달아 놀랐다.

'대체 이 작자는 장님도 아니고, 귀머거리도 아니잖는가. 그런데 이 싸움판을 전혀 알지도 못하다니.'

연주에 정신을 빼앗겨 이 소란을 몰랐던 연주자는 바로 루이 암스트롱이었다. 그는 재즈와 트럼펫 속에서 살았고 결국 이러한 열정이 그를 성공하게 했던 것이다.

일이 즐거운 사람

◆

일이 즐겁다면
인생은 낙원이다. 일이 의무라면 인생은
지옥이다.

로버트 G. 단로프는 석유 회사의 말단 경리계원이었다. 그의 첫 상사의 말을 빌면 그는 출·퇴근 시간을 아랑곳하지 않고 일했다고 한다. 그의 얼굴에는 늘 화색이 만연했고 경쾌한 콧노래가 끊이지 않을 정도였다고 한다.

실제로 그는 일하는 것이 유쾌했다. 퇴근 시간이 가까워질수록 안타까웠다. 그는 영화 관람이나 야구경기가 즐거운 것처럼 일이 즐거웠다.

이런 단로프의 자세는 그를 더욱 좋은 지위에 앉히기까지 그리 오랜 시간이 걸리지 않게 하였다. 그의 일에 대한 애착은 출세의 계단을 차츰차츰 정복하게 만들었다.

"죽도록 일해봤자 소용없다."

고 주장하는 사람들에게 그는 말한다.

"나는 일에 지쳐서 죽어간 사람을 본 일은 없지만, 그렇게 생각했기 때문에 죽어간 사람은 자주 보았다."

일에 열중하라

가장 잘 견디는 사람은
가장 잘 성취할 수 있다.

넝마주이처럼 천을 여기저기 덧댄 옷을 입은 한 사나이가 캔자스 시 스타 신문사의 문을 두드렸다. 커다란 화판을 든 그는 잠시 후 문을 열고 신문사 안으로 들어가더니 성큼성큼 편집장 앞으로 다가섰다.

"일거리를 주십시오. 저는 만화나 만평을 훌륭하게 그려낼 자신이 있습니다."

편집장은 그를 천천히 올려다보았다. 그는 구부정한 등을 굽혀 화판을 열고 그림 한 폭을 꺼냈다.

그림을 게슴츠레한 눈으로 살펴보던 편집장은 이윽고 말문을 열었다.

"자네에겐 그림 재주가 전혀 없어 보이는군. 안됐지만 할 수 없네. 난 당신에게 도저히 일거리를 줄 수 없네. 자네에겐 가능성이 전혀 보이지 않아."

편집장의 악담을 들은 그는 어깨를 축 늘어트린 채 집으로 돌아올 수밖에 없었다.

실의에 빠진 그에게 일자리 하나가 생겼는데 교회당에 장식할 그림을 그리는 일이었다. 보수는 형편없었고, 작업실도 마땅치 않아 아버지의 차고를 이용해야만 했다. 휘발유와 윤활유 냄새가 역겹도록 솔솔 풍겨나는 차고에서의 작업은 그의 생애를 획기적으로 전환시켜줄 아이디어를 생산해내게 했다.

차고를 화실삼아 그림에 열중하던 어느 날, 생쥐 한 마리가 차고 바닥을 슬금슬금 기어가는 게 눈에 띄었다. 일손을 멈추고 생쥐 곁에 다가선 그는 빵조각을 던져주었다.

그렇게 하루하루가 지나는 동안 그와 생쥐는 점점 친해져서 나중에는 그 귀여운 생쥐가 화판 위를 기어오를 정도까지 되었다.

그후 그는 헐리우드로 진출하여 《오스왈드와 토끼》라는 만화 영화를 만들었다. 그러나 이 작품은 완전 실패작이었다. 그는 다시금 빈털털이가 되어야 했다.

실업자로서의 실의를 달래며 화판 앞에 앉아 있던 그에게 캔자스 시의 아버지의 차고에서 보았던 생쥐가 떠올랐다.

그는 곧바로 생쥐 만화를 그리기 시작했다. 컷 하나하나에 정성들여 채색을 했다. 전세계적으로 널리 알려진 귀여운 꼬마 미키마우스의 탄생이 진행 중인 것이다.

〈미키마우스〉는 디즈니를 단번에 만화 영화의 대명사로 만들어놓았다. 그 옛날 고락을 같이했던 생쥐가 유명한 만화 영화의 스타 미키마우스의 원형이었던 것이다.

〈미키마우스〉, 〈인어공주〉, 〈잠자는 숲속의 미녀〉로 우리들의 사랑을 받는 그, 월트 디즈니는 모든 성공의 비결은 일에 열중하는 것이라고 역설하고 있다.

남다른 열중이 있었기에 다른 사람이라면 그냥 스쳐버릴 생쥐에게서 최고의 작품소재를 뽑아낸 것이다.

베토벤의 좌우명

향상심으로 불타는
유능하고 근면한 인간에게는
정지라는 팻말을 세울 수 없다.

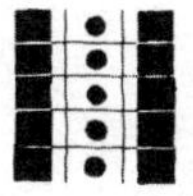

베토벤이 연주회를 준비하던 때였다. 피아노 주자(奏者)인 모쉐레스가 오페라 〈휘데리오〉의 악보를 전달했다.

베토벤이 피아노 악보를 살펴보니 그 마지막 페이지의 한 구석에 이런 글귀가 적혀 있었다.

"신(神)의 도움으로 무사히 연주가 끝나도록……."

이 글귀를 읽은 베토벤의 얼굴이 묘하게 일그러졌다. 곧바로 펜을 들어 그 밑에 이렇게 덧붙여 썼다.

"신에게 의지한다는 것은 무슨 말인가. 스스로의 힘으로 스스로를 돕도록 하라."

이 말은 베토벤 생애를 통해서 좌우명이 되었다.

달에서 본 지구

◆

주어진 사명을 다하기 위하여
이 세상에 태어난 것이라고 생각할 때에야
비로소 교양 있는 사람이라고 볼 수 있다.

프랭크 보만과 동료 우주비행사 윌리엄 A. 앤더슨은 눈앞에 펼쳐진 달의 모습에 넋을 잃었다.

그들은 달의 주위를 돌았다. 윌리엄의 임무는 앞으로 착륙지점이 될 장소의 사진을 찍는 일이었다. 6, 7바퀴를 도는 동안 윌리엄은 사진 촬영에 열을 올렸다.

그때 보만이 고개를 들어 하늘을 쳐다보니 뒤로 지구가 보였다. 달 가까이에서 지구를 바라보니 감회가 새로웠다.

보만의 눈은 살포시 젖어들었다. 감격의 눈물이었다. 보만은 나직이 윌리엄을 불렀다.

"윌리엄, 카메라 좀 잠깐 빌려주게. 저기 보이는 지구가 너무 아름답지 않는가?"

그런데 윌리엄은 일언지하에 거절했다.

보만은 다시 한 번 부탁했다. 그러나 윌리엄은,

"미안하지만 필름이 부족합니다. 승선 중에 8천 매를 찍어야 합니다."

라고 말할 뿐이었다.

보만은 또다시 부탁했다.

"부탁이네, 카메라를 빌려주게. 자네가 찍은 것은 과학사진 뿐이지만 나는 〈라이프〉지의 표지가 될 만한 것을 찍고 싶네."

윌리엄과 보만의 실갱이는 계속 되었다. 윌리엄의 태도는 단호했다. 그때 보만은 명령조로 다시 부탁했다. 윌리엄은 보만을 치켜보며 물었다.

"명령이십니까?"

"그렇네. 명령이네."

그제서야 윌리엄은 카메라를 보만에게 넘겨주었다.

그때 보만이 찍은 '달에서 본 지구' 사진을 독자들도 본 적이 있을 것이다. 보만이 찍은 사진은 실제로 〈라이프〉지의 표지가 되었을 뿐만 아니라 우표 도안으로도 사용되었다.

콜롬부스의 달걀

◆

처음 생각한 것을
실행해나가는 것이 중요하다.
실행하지 않고서 숙덕공론만 일삼는 것은
비겁한 사람이 주로 하는 행위이다.

콜롬부스가 아메리카 대륙을 발견했을 때 편안하게 파티나 즐기던 사람들이 양볼을 씰룩이며 말했다.

"저렇게 큰 대륙은 누구나 발견할 수 있어. 누가 그걸 못해. 오래전부터 있어온 대륙에 간 것 뿐이잖아. 그는 계속 서쪽으로만 항해했지 별다른 것은 없어."

콜롬부스가 어느 날 회합에 초대받아 갔을 때도 마찬가지였다. 우아한 옷차림으로 한껏 멋을 낸 귀족들은 품위있게 빙그레 웃으면서 콜롬부스의 공적을 깎아내리기에 바빴다.

콜롬부스는 자신의 호주머니에서 삶은 달걀을 꺼내놓고 사람들에게 물었다.

"누가 이 달걀을 책상 위에 세울 수 있습니까?"

달걀을 세워보겠다고 나서는 사람은 아무도 없었다. 혹자는 콜롬부스가 억하심정으로 억지를 부리고 있다고 말하기도 했다.

그때 콜롬부스는 달걀의 한쪽을 깨트려 테이블 위에 세웠다.

콜롬부스의 행동은 대수롭지 않게 보이는 일도 처음으로 실행해나가기는 힘들다라는 의미를 내포한 듯했다.

사라진다는 것

지금
내 아내는 죽어 소멸한 것이 아니네.
사계절의 운행처럼 사라진 것이 아니라
단지 다른 모양으로 변화한 것일 뿐.

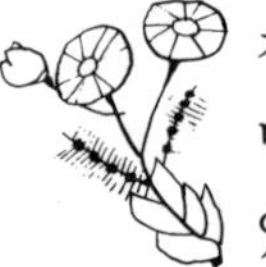

장자의 아내가 죽자 혜자가 문상하러 왔다. 집안의 밑돌인 아내를 잃은 장자의 마음을 위로해줄 심사였다.

'생자필멸 회자정리(生者必滅 會者定離)가 아닌가. 죽음이란 자네 주위에만 닥치는 것이 아니니 너무 슬퍼하지 말게나. 세상의 인연을 끊고 청산가는 부인의 마음이나 편하게 더이상 매달리지 말게.'

혜자는 장자에게 이렇게 말하리라 생각했다.

그러나 장자의 집에 다다른 혜자는 까무러칠 만큼이나 놀랐다. 장자는 두 다리를 쭉 뻗고 앉아 항아리를 두드리며 노래를 부르고 있었다. 마을 사람들은 장자의 집 안을 기웃거리며 제각기 수근거리고 있었다.

"쯧쯧, 실성을 했나 봐."

"그렇지? 미치지 않고서 저럴 수가 없겠지."

"학문은 깊었지만 원체 마음이 약한 사람이기는 했어. 마음이 약하기 때문에 정신이 나가버린거야."

혜자의 생각에도 장자가 미친 것으로 보였다. 그토록 영명하고 경우 바른 장자가 미치지 않고는 그런 행동을 할 리가 없었다.

"여보게, 자네가 대체 이게 무슨 꼴인가?"

혜자가 걱정스럽게 말했다. 그러자 장자는 혜자를 올려다보며 평상시와 같은 음성으로 말했다.

"아, 자네로군. 별일도 아닌데 바쁠 텐데 왜 왔는가?"

장자가 미친 것이 아님을 확인한 혜자는 몹시 분노했다.

"예끼 이 사람아! 자네 지금 너무 하는 것이 아닌가? 비록 먼저 갔지만 자네와 함께 살았고, 자네의 아이를 낳아 길렀으며, 자네와 함께 늙었는데 곡을 하지 않다니, 대체 그 연유가 무엇인가? 항아리를 두드리며 흥겹게 노래함은 너무 심하지 않은가?"

노랫가락에 젖어 있던 장자가 말했다.

"여보게, 그렇지 않네. 나라고 어찌 슬픈 감정이 없겠는가? 그러나 아내가 태어나기 이전을 살펴보니 원래는 삶도, 형체도, 기운〔氣〕도 없었던 것이었네. 원래는 아무것도 아니었던 것이 천리(天理)에 따라 기운이 있게 되었고, 기운이 변하여 형체가 있게 되었고, 형체가 변화하여 삶이 있게 되었던 것이네. 지금의 내 아내는 또 변화하여 죽어간 것일 뿐이 아닌가?

이것은 봄 여름 가을 겨울의 운행처럼 사라지는 것이 아니라 단지 다른 모양으로 변화해간 것이네. 그런데도 제 슬픔에 겨워 엉엉 우는 짓은 하늘의 뜻에 이르지 못한 일이라 여겨 곡하지 않고 노래한 것이네."

장자의 말을 들은 혜자는 하늘을 향해 허탈한 웃음을 날릴 뿐 다른 말은 하지 않았다.

말없음표

◆

나의 성공의 비결은
매우 간단합니다. 나는 항상 귀기울여
남의 말을 들으며
내 길을 간 것뿐입니다.

미국 역대 대통령들 중에서 말이 없기로 유명한 대통령이 있었다.

캘빈 쿨리지는 '침묵의 입'으로 명성이 자자했다.

그가 대통령이 되기 전인 부통령 시절 때였다. 한 연회에 초청받은 것이다.

아니나다를까 그날도 역시 그는 주변 사람들일랑 거들떠보지도 않고 꿀 먹은 벙어리처럼 앉아만 있었다. 쿨리지의 옆 좌석에는 숙녀 한 사람이 앉아 있었다.

자신에게 한 마디의 말도 걸어오지 않는 데에 화가 난 숙녀는 자신이 직접 말을 걸어보기로 했다.

"각하, 워싱턴은 어떻습니까? 여기 보스톤과는 다른가요?"

숙녀는 용기를 내어 이렇게 물었으나 쿨리지는 단 한 마디로 일축했다.

"네."

너무 간단한 대답에 민망한 숙녀는 조금 더 말을 시켜보고 싶었다.

"말씀 좀 해보세요, 네?"

쿨리지는 이 물음에 말은 더 하기는 했다. 이렇게 대답했으니까 말이다.

"방금 말했잖아요."

언젠가 이런 쿨리지를 답답하게 여기던 사람이 그를 초청했다. 그리고는 쿨리지 옆 좌석에 데어도어 루즈벨트의 딸인 앨리스를 지정했다.

앨리스는 무척 수다스러운 여자였다.

자신의 옆 사람과 열심히 이야기하다가 가만히 앉아 있는 쿨리지를 보았다.

그래서 앨리스는 그에게 말을 시켰다.

"심심하지 않으십니까?"

"괜찮아요."

"아버님은 당신을 칭찬하시고 계시지요."

"그렇습니까?"

"……."

이것저것 아무리 말을 시켜보아도 반응이 시원치 않았다. 마지못해 겨우겨우 대답할 뿐이었다.

앨리스는 심통 사납게 마지막으로 이렇게 말해버렸다.

"침묵을 무척 좋아하시는 부통령 각하, 이제는 이런 연회가 싫증이 나도 꽤 났겠네요?"

"……."

"그런데 왜 이런 연회에 참석하세요?"

쿨리지는 담담한 표정으로 대답했다.

"어디에서든지 먹기는 먹어야 하지 않겠어요."

그가 승진을 해 대통령이 되었을 때 한 질문을 받았다.

"각하의 정치적으로 성공한 비결은 무엇이라고 생각합니까?"

"매우 간단한 것입니다. 나는 항상 귀기울여 남의 말을 들으며 내 길을 간 것뿐입니다."

운명적인 불행은 존재

슬픔 속에
자신을 온통 내맡기는 것은
좋은 일이 아닙니다. 이 세계에서는
인간이 아무리 노력해도 막을 수 없는 불행은
언제나 존재합니다.

데모크리토스가 페르시아의 다리우스 왕을 대면했을 때, 다리우스는 큰 슬픔에 젖어 있었다. 그가 사랑하고 아끼던 궁녀가 죽었기 때문이다.

데모크리토스를 대하는 다리우스의 얼굴엔 고통의 흔적이 역력했다. 데모크리토스를 바라보고는 있지만 크게 반기지도, 오랫동안 그의 이야기에 귀 기울이려 하지도 않았다.

데모크리토스는 슬픔에 빠진 다리우스를 위로하고 싶었다. 얼마 전 죽은, 좋은 말벗 크세니아의 얼굴도 떠올랐다.

"폐하, 만약 페르시아 전 영토에서 생애 중에 슬픔을 한 번도 겪지 않은 사람이 자신있게 나서서, 궁녀의 묘비명 대신에 자신의 명성을 조각한다면, 저는 즉시 궁녀를 소생시켜 드리겠습니다."

그러나 그러한 자격을 갖춘 자는 한 사람도 없었다. 저마다 나름대로의 슬픔을 안은 채 살아가고 있었다.

데모크리토스는 나직히 다리우스에게 말했다.

"슬픔의 고통 속에 자신을 맡기는 것은 좋은 일이 아닙니다. 이 넓은 세계에서 인간이 아무리 노력해도 막을 수 없는 불행은 언제나 존재합니다."

시씨와 맹씨의 두 아들

무릇
시기를 타는 사람은 흥하고
시기를 잘못 탄 사람은 망하는 법이오.
때문에 시기를 잘 판단해내고 그에 알맞는 일을
선택해야 하오.

노(魯)나라에 시(施)라고 하는 사람이 두 아들을 두었다. 큰 아들은 학문을, 작은 아들은 병법을 연구했는데 각기 그 방향으로 진출하여 큰 부와 명예를 얻었다.

그때 시씨 집 옆에는 맹(孟)이라는 사람이 살았다. 시씨 집과 마찬가지로 맹씨도 두 아들을 두었는데 하나는 학문을 다른 하나는 병법을 공부했다. 그러나 맹의 집은 솥단지에 거미줄 칠 정도로 가난했다. 그래서 늘 시씨 집안을 부러워했다.

어느 날, 맹씨는 시씨를 찾아가서 집안 사정을 하소연했다. 그러면서 시씨 아들들의 출세 내력을 물었다.

"예, 제 아이들은 스스로 공부를 했을 뿐만 아니라 관직도 스스로 찾았죠. 자신의 능력을 써줄 현군(賢君)을 제각기 골라 그곳으로 갔죠."

집에 돌아온 맹씨는 두 아들을 불러 앉혔다.

"애야, 너희들도 시씨 아들처럼 관직을 구하여라."

맹씨의 학문을 한 아들은 진(秦)나라로 찾아가 관직을 청했다. 그러자 왕은,

"지금은 바야흐로 실력경쟁의 시대이다. 지금 힘써야 할 것은, 학문을 한 자를 관직에 등용하여 쓰잘 데 없는 인의(仁義)를 논하게 할 것이 아니라, 군대의 힘을 강하게 하는 것이다."
라고 꾸짖으며 궁형(宮刑)에 처했다.

한편 병법을 배운 아들은 위(衛)나라로 가서 벼슬을 청했다. 그의 말을 들은 위공은,

"우리나라는 약소국이기 때문에 군력을 강화할 것이 아니라 화친(和親)에 힘써야 하오."
라고 말하며 혹여 다른 나라의 관직에 올라 그의 병법으로 위나라를 해칠지도 모른다 하여 두 다리를 자르고 돌려보냈다.

맹씨는 기가 막혔다. 순식간에 한 아이는 생식기가, 둘째 아이는 두 다리가 없어진 것이다. 맹씨는 시씨를 찾아가 원망했다. 그러나 시씨는 조용히 일렀다.

"무릇 시기를 타는 사람은 홍하고, 시기를 잘못 탄 사람은 망하는 법이오. 내 아이들은 시기를 잘 만났지만 그대의 아이들은 그렇지 못한 것에 불과하오. 무릇 세상 일이란 반드시 일정한 규칙대로만 되는 것이 아니오. 전에는 병법가가 필요했지만 이젠 학문하는 이가 필요하게 될 수도 있소. 이는 시기에 알맞는 일을 적절히 하는 지혜의 문제요. 이 지혜가 모자라면 설사 학문이 공자에 이르고, 병법이 강태공에 이를지라도 성공하지 못한다오." 맹씨는 묵묵히 자리에서 일어섰다.

모든 확률은 반반

삶도, 죽음도
그 확률은 반반인데
미리 겁을 집어먹을 필요는 없네.
그냥 순리대로 살아가는 것이
최상일 따름이네.

전투 훈련을 받던 한 신병이 날이 갈수록 야위어만 갔다. 같이 야간 보초를 서던 동료 신병은 그가 걱정되어 물었다.

"이봐, 자네 몰골이 말이 아니네. 무슨 걱정거리라도 있나?"

"난 자네가 그렇게 유유자적한다는 게 오히려 이상하네. 난 전쟁터에 나가 죽을지도 모른다는 생각을 하면 걱정이 되어 병이 날 지경인데 자넨 어쩜 그리 태연할 수 있지?"

동료 신병은 고개를 끄덕였다.

"그럴 수도 있겠네. 하지만 굳이 그런 걱정을 할 필요는 없네."

의문의 눈길을 던지는 신병에게 동료 신병은 말을 이어나갔다.

"이렇게 생각하면 마음이 편할걸세. 자네가 일선에 갈 기회는 반반이야. 만일 가지 않는다면 걱정할 필요가 없잖은가? 비록 일선에 갔다 해도 전투에 맞닥뜨리는 경우도 반반일 거 아닌가? 전투에 맞닥뜨리지 않는다면 아무것도 걱정할 필요가 없네. 만약 전투가 있다고 해도 자네가 총알을 맞을 확률은 반반이며, 맞았다 해도 죽을 경우는 반반일 텐데 무슨 걱정인가? 만약 죽지 않는다면 걱정할 일이 없을 것이며, 죽는다면 자네의 걱정은 영원히 없어질 텐데, 왜 처음부터 미리 겁을 집어먹는 건가?"

정직한 소년

◆

작은 돈이라도
정해진 제값에서 더 받는다는 것은
저에겐 용납될 수 없는 일입니다.

"어서 오세요."
"무엇을 도와드릴까요."
소년은 손님에게 인사한 후 고객이 물건을 고를 때까지 기다렸다가 카운터로 갔다.
"꼬마야, 이 물건 얼마냐?"
"50센트입니다."
"여기 있다."
"고맙습니다. 안녕히 가세요."
얼마 후 소년은 계산에 착오가 있었다는 것을 알게 되었다. 돈을 더 받은 것이다. 비록 가게 점원 노릇을 하며 손님들에게 시달렸지만 항상 웃는 얼굴의 정직한 소년이었다.
"정직해라! 착해라!"

어머니의 이 말은 어길 수 없는 신앙과도 같았다. 이같은 소년의 행동은 단골손님을 많이 만들었다.

소년은 죄의식에 사로잡혀 가게 주인에게 이렇게 말했다.

"주인님, 제가 어떤 손님의 물건 값을 잘못 계산했지 뭡니까? 이를 어쩌지요? 저는 그분이 누군지 꼭 찾아뵙고 사죄하고 싶습니다. 그리고 더 받은 돈을 돌려드리겠습니다."

주인은 미소지으며 말했다.

"괜찮아. 잘 모르고 한 일이잖니. 게다가 돈도 겨우 1센트에 불과한데……. 그냥 두어라. 나중에 그 손님이 오거든 그때 돌려주어도 된단다."

그래도 소년의 마음은 편치 않았다.

"저는 바로 지금 꼭 돌려드리고 싶어요. 마냥 기다릴 수 없습니다."

"괜찮대도."

"그래도 갔다 오겠어요."

기특하기도 했다. 주인은 잔돈을 주었다. 소년은 즉시 달려나갔다. 5마일 정도를 걸어 기진맥진해졌을 때 결국은 그 고객을 만났다.

소년은 잘못된 계산을 이야기했다.

"아니, 정말 정직하고 착한 아이구나. 큰 돈도 아닌데."

소년은 숨찬 듯 헉헉거리며 대답했다.

"작은 돈이라도 정해진 제값에서 더 받는다는 것은 저에겐 용납될 수 없는 일입니다. 돈을 받아주세요. 그리고 제발 제 잘못을 용서해주세요."

이 소년의 행동은 그 가게를 크게 번창하게 했다. 바로 이 소년은 역대 미국 대통령의 한 사람인 아브라함 링컨이었다.

자신감

마음 속에
자신감을 구축하는 일은 암흑가를 소탕하는
계획과도 같다.

30세의 아벨은 작은 고무 제품 회사의 판매 과장을 하고 있었다. 그의 연봉은 3만 달러였으나 만족하지 않았다. 그렇다고 막상 그만두려고 생각하니 두 가지가 마음에 걸렸다.

그 한 가지는 회사에서 일처리를 아주 잘했기 때문에 중역진이 그대로 머물러달라고 말릴 것 같았고, 다른 한 가지는 한정된 전문적 경험밖에 없는 자신을 다른 회사에서 채용해줄 것인가라는 점이다.

그래서 신중히 일을 진행시켰다. 현재의 직장을 계속 나가면서 살짝 다른 직장에 접촉해보았다. 친구와 직업소개소를 찾아가기도 하고, 직접 다른 회사를 찾아가보기도 하면서 새로운 일을 찾기 시작했다.

처음으로 면접을 받은 곳에서는 현재의 직장과 같은 연봉인 3만 달러에 채용하겠다고 했다.

이런 식으로 2개월 정도가 지나자 정세는 점점 밝아졌다.

꼭 와주었으면 하는 두 회사에서도 3만 달러를 제시했지만, 또 다른 회사에서는 4만 달러로 와달라는 부탁을 했다. 더욱 놀랄 만한 일은 4만 5천 달러를 주겠다고 하는 곳도 있었다.

그 이후, 그는 사람이 달라졌다. 할 수 있다는 신념이 싹튼 것이다.

자신의 가치가 그 정도임을 미처 몰랐다. 한번 자신을 갖게 되면 현재 자기의 일을 보다 객관적으로 분석하게 되나 보다.

심사숙고한 끝에 현재의 회사에 그대로 머물기로 결정했다. 소규모의 회사가 오히려 젊은이에게는 출세가 빠를 것이라는 판단 때문이다.

그는 완전히 새로운 인간이 되어 재출발했다. 지금보다 훨씬 많은 보수를 주겠다는 유혹도 물리치고 현재의 일에 전력투구했다.

이러한 자신과 신념은 곧 결실을 맺었다. 2년 후 판매 부장이 퇴직했을 때, 막대한 승급과 함께 그 자리를 물려받은 것이다. 태도의 변화가 그에게 승진을 가져다준 것이다.

그를 요직으로 끌어올린 중역들은 그의 전에 없는 확고한 자신감에 큰 감명을 받았기 때문에 파격적인 승급도 주저하지 않았다. 이러한 결과는 그가 자신감에 넘친 신념을 지니고 있었기 때문에 이뤄질 수 있었던 것이다.

그는 술회한다.

"마음 속에 자신감을 구축하는 일은 암흑가를 소탕하는 계획과도 같은 것이다."

굽히지 않는 의견

충분한 확신이 서지 않은 지식을
완고히 주장해서는 안 된다.
타인에게서 들은 말을 경솔히 믿어서는 안 된다.
하지만 확신이 선 의견은
끝까지 밀고 나가라.

아메리카 식민지 문제로 영불 양국이 7년 전쟁을 벌였을 때의 일이다.

여느때처럼 칸트는 톡톡 경쾌한 지팡이 소리를 들으며 산책길로 나섰다. 이웃 나라의 전쟁 때문인지 거리의 풍경은 어수선했다.

칸트가 산책길 중간에 서 있는 정자에 앉아 잠시 한숨을 돌리려는데 근처에 있던 사람들이 그 주변으로 모여들었다.

"전쟁은 어찌될 것 같습니까?"

"아메리카 사람들은 어떻습니까?"

칸트는 그들과 어울려서 전쟁에 관한 토론에 열중했다.

"……영국인들에 맞서 싸우는 아메리카 인들은 용기 있는 사람들입니다. 그들은 그 용기로 독립을 쟁취할 수 있을 겁니다.

영국인들은 비겁한 사람들입니다. 그렇지 않습니까?"

그때 다른 무리 속에서 한 남자가 불쑥 튀어나왔다.

"여보시오, 난 당신이 말한 그 비겁한 영국인이오. 난 나와 내 조국을 모독한 당신을 도저히 용서할 수 없소. 결투를 신청하오."

그 영국인의 분노는 극에 달한 듯했다. 그러나 칸트는 조금도 두려워하지 않았다. 앞의 주장을 번복하지도 않고 보통 때처럼 자신의 정치 견해를 주장했다. 너무나도 논리 정연한 칸트의 말에 그 영국인은 굴복하지 않을 수 없었다.

그는 정중히 칸트에게 허락을 얻어 그의 친구가 되었다.

짧은 시간의 적대 감정이 오랜 시간에 걸친 우정관계로 변하였다. 이 영국인 그린은 칸트의 재정적 원조 뿐만 아니라 좋은 상담역도 되어주었다. 칸트는 그린을 존경하여 그 사람과 대화가 일치하지 않았다면 《순수이성비판》을 한 줄도 쓰지 못했을 거라고 말하곤 했다. 그린이 죽음을 맞이했을 때, 칸트는 큰 슬픔에 젖어 일체의 사교 모임에 참석하지 않았다고 한다.

프로 근성

절망적인 상황에서도
결코 좌절하지 않는다.

"이번 수퍼볼에 진출할 팀을 꼽아보게?"
"글쎄, 막상막하라 우열을 가리기가 힘이 드는데……
하지만, 내 장담하지. 덴버 브롱코스 팀은 절대로 수퍼볼에 진출하지 못할걸세."

"예끼, 이 사람아. 그쯤이라면 나도 장담할 수 있네."

미식 축구의 결승전인 수퍼볼에 진출할 팀에 대해 환담을 나누던 스포츠 신문기자들은 웃음을 터트렸다.

실제로 덴버 브롱코스 팀의 전년도 실적은 밑바닥에서 맴돌았다. 감독인 레드 밀러의 실력도 미지수였고, 팀 구성원들도 별로 신통한 편이 아니었다.

〈덴버 포스트〉 지의 스포츠 기자는, 밀러 감독에 대하여, 기자들끼리의 탁상에서 공론한 이야기를 게재하였다. 감독 밀러의 코칭 능력에는 결함이 많고, 선수들은 보잘것없으며, 미식 축구의 여러 구단에는 그보다 뛰어난 감독들이 얼마든지 산재해 있다고 혹독히 평했다.

그러나 〈덴버 포스트〉 지를 비롯한 여러 스포츠 관련 기자들이 간과한 것이 있었다. 그것은 밀러의 끈질긴 승부 근성이었다.

1976년 덴버 브롱코스는 수퍼볼에 진출하는 일대 기적을 연출했다. 이때 쑥덕공론에 열중했던 기자들은 이렇게 원고를 작성했다.

"이번 수퍼볼에 진출한 브롱코스는 선수들의 선전(善戰) 덕분이기도 했지만 그 이상으로 '절망적인 상황에서도 결코 좌절하지 않는다.'라는 레드 밀러의 승부 근성이 결승 진출을 뒷받침한 듯……."

창의적인 사람이 성공한다

◆

사람들이
상대방에 대해 공통적으로
느끼는 흥미와 기대는
창의력의 유무이다.

남과는 조금 다른 특별한 창의성 발휘가 성공으로 이어지는 척도가 된다. 다른 사람이 하지 않는 생각, 행동들은 아무래도 눈에 띄는 독창적인 것들이기에 성공으로의 연결은 당연한 귀결인 것이다.

청년 시절 공업기사(工業技師)가 될 교육을 받았고, 메사추세츠의 공예학원(工藝學院)을 졸업한 사람이 있었다. 그런데 그는 학원을 졸업하자마자 갑자기 은행 업무가 해보고 싶었다.

어느 날 그는 보스톤의 한 은행이 사원을 모집한다는 신문광고를 보았다.

'어라 이상한데? 은행 이름이 없네.'

정말 난감했다. 지망자는 서면으로 신청하라고만 했고 그 외에 다른 사항은 지시되어 있지 않았다.

단 한 가지, 사서함 번호만이 있을 뿐이었다.

이 청년은 이 모집에 응해보기로 했다.

'단순하게 편지로 입사 원서를 내는 것은 나의 적성에 맞지 않아. 직접 대면하자. 뭔가 좀 색다른 방법을 찾아보자.'

이렇게 생각한 청년은 고심을 했다. 이윽고 기발하고도 특이한 것을 찾아내었다. 그것은 사서함 번호였다.

그는 즉시 보스턴 우체국엘 찾아갔다.

"말 좀 묻겠어요."

우체국 사서함 직원은 얼굴이 무척 퉁명스럽게 생긴 사람이었다.

"무슨 일이죠?"

"저어……, 이 신문 광고에 쓰여 있는 사서함 번호의 소유자가 누구인지를 알고 싶은데요."

"저로서는 알려드릴 수가 없군요. 그건 저희 규칙이라서……. 죄송합니다."

얼굴 표정과는 다르게 상냥한 대꾸였다. 때문에 더이상 버팅기며 고집피울 수가 없었다.

청년은 잠시 동안 궁리를 해보았다.

'이제 어떻게 한담?'

잠시 후, 번개같이 단순하면서도 가장 확실한 하나의 방법을 발견했다.

'오늘은 시간이 너무 늦었으니 그만 돌아가자.'

이튿날 아침 일찍 이 청년은 보스턴 우체국으로 달려왔다. 우체국 문이 열리자마자 사서함 쪽으로 쪼르르 다가갔다. 문제의 그 사서함 번호 곁으로 다가선 그 청년은 주위를 둘러봤다. 아직은 한산한 분위기였다. 사람들도 별로 없었다.

마침내 한 시간 가량이 경과했을 때, 은행의 심부름꾼이 나타났다. 그 심부름꾼 손에는 어김없이 편지를 집어넣을 수 있는 가방이 들려 있었다. 그 가방에는 뚜렷하게 은행의 이름이 새겨져 있었다. 청년은 재빨리 그것을 읽었다. 다행이었다. 일부러 물을 필요가 없이 아주 쉽게 목적은 이루어진 셈이다.

적당한 시간의 간격을 두고서, 그 은행으로 갔다. 인사담당자에게 면회를 신청했다.

"사원을 모집하고 있다는 것을 자네는 어떻게 알았지?"

그 인사담당자는 무척이나 수상하다는 듯이 물어왔다.

"신문 광고를 보았습니다."

"그래? 이상하군. 분명히 신문에는 우리 은행 이름이 없을텐데."

"맞습니다. 없습니다. 하지만 추리할 만한 단서는 있지요."

이 청년은 자기가 취한 방법과, 그리고 중요한 것으로, 왜 자신이 그렇게 하였는가를 설명했다.

"하하하 으하하하."

이 말을 다 듣고 나자, 이 인사담당자는 매우 유쾌하다는 듯이 껄껄 웃었다. 그리고 옆 책상 위의 산더미같이 쌓여 있는 편지 뭉치를 가리키면서,

"여보게, 이 편지 더미가 무엇인지 알겠나? 오륙십 통은 족히 넘을걸세. 나는 아직도 한 통도 읽지 않았네. 이젠 읽고 싶은 마음도 생기지 않네. 결정했어. 자네를 채용하기로 하지."

은행은 이 청년에게 자리를 주었다. 이 은행으로부터 인정받은 창의력의 소유자는 경제학자로서, 재정 방면의 권위자로 유명한 로자 밥슨이었다.

취직을 지원하는 사람들이 독창성을 나타내는 것처럼 사용자

에게 흥미를 돋구는 일도 없다. 새로 취직을 하려는 이나, 현재의 지위에서 승진하려는 사람이나 모두 창의력의 유무가 고용주의 공통된 절실한 흥미이며 기대임을 알아야 한다.

최선은 현장에서 배우는 것

◆

제조든 판매든
모든 일은
우선 현장을 아는 데서부터
시작되어야 한다.

고오노스께가 본사 인사부의 책임자인 미우라를 불렀다. 미우라는 마흔 살이 되도록 몸담은 관청을 그만두고 마쓰시다 전기에 입사한 후 2년 반 정도의 세월을 보낸 사람이었다.

고오노스께의 호출을 받은 미우라는 자신의 주변을 점검했다. 급작스레 자신을 부르는 고오노스께의 일이 심상치 않았다. 주변의 일은 그런 대로 잘되어 나가고 있었다.

'무엇 때문일까?'

의아한 표정으로 미우라는 고오노스께의 방을 노크했다.

고오노스께는 다정한 목소리로 미우라에게 자리를 권했다. 한풀 꺾인 기가 되살아 나는 듯했다. 자신의 실책을 질타하기 위한 자리가 아님이 분명했다.

"미우라 씨, 한번 생각해보길 바라오. 지금 그대로가 좋다면 말리지 않겠소. 하지만 우리 회사의 본업은 물건을 만들어서 파는 것이오. 한번 고생할 각오하고 새출발해볼 생각은 없소?"

고오노스께는 더이상의 말을 잇지 않고 미우라를 밖으로 내보냈다.

미우라가 '새출발'이란 단어에 집착하며 고민할 때 고오노스께는 다시 그를 불렀다.

"미우라 씨, 제조부장으로서 사업부에 가서 일해주게."

미우라는 고개를 들어 고오노스께를 바라보았다. 고오노스께는 빙긋 웃으며 말을 이어나갔다.

"좌천됐을 거라는 주위 동료들의 수근거림일랑 묵살하게. 이제부터 우리 회사의 본업인 물건 만드는 일을 공부할테니까. 그리고 명심해야 할 것은 사무실에다 책상을 두어서는 안 되네. 공장 안에 두어야 해. 공장 안에 책상을 들여놓고 공부하는거야."

고오노스께는 힘을 주어 미우라에게 이야기했다. 그의 이야기를 다 들은 미우라의 가슴 속에는 한 마디의 말이 각인되었다.

'제조든 판매든 모든 일은 우선 현장을 아는 데서부터 시작되어야 한다.'

제4장

가난과 절망 너머엔

운명은 뜻이 있는 자를 안내하고,
뜻이 없는 자를 질질 끌고 다닌다.

무덤 사이를 헤집고 다니는 사람

◆

나를
가로막을 알프스가 있겠는가.

'의학에 정통하려면 어떤 동물이든지 자기 손으로 해부해보아야 해. 인체라도 가리지 않고…… 그래야만 질병에 관한 정확한 판단과 해결책을 내올 수 있어.'

베잘리우스는 가레노스의 낡은 학설만을 떠들어대는 교수들에게 불만이 많았다.

가레노스는 인체를 해부하는 것을 터부시하고 대신 동물을 해부하여 학설을 세워놓았다. 게다가 해부학자가 직접 해부하는 것조차 비판했다. 해부학을 전공하는 교수들은 가레노스의 숭배자들이었기에, 자신이 직접 해부하는 것을 두려워하거나 천하게 여겼다. 베잘리우스는 그런 가레노스의 설이 마음에 들지 않았다.

훌륭한 의사가 되겠다는 희망을 안고 파리에서 공부하고 있던 베잘리우스는 시체 해부를 교회에서 금지했기에 음성적인 방법으로 사람의 시체를 찾아다닐 수밖에 없었다.

당시 프랑스에서는 시체를 그다지 깊게 묻지 않았기 때문에 비바람이 세차게 몰아치면 시체의 뼈마디가 겉으로 드러나는 경우가 잦았다. 그래서 베잘리우스는 무덤을 파헤치지 않고도 죽은 이의 뼈를 쉽게 얻을 수 있었다. 이렇게 무덤과 무덤을 헤집고 돌아다닌 덕분에 인간의 뼈에 관한 그를 따를 자가 없게 되었다.

그러나 문제는 내장이 남아 있는 갓 죽은 시체였다. 무덤이 많은 야산을 쏘다닌 결과 뼈의 구조는 체계적으로 정리되는데 장이나 간, 심장 등에 대해서는 까막눈이었다.

그가 파리에서 공부하는 도중 프랑스와 독일 사이에 전쟁이 일어나 그는 고향인 벨기에로 돌아올 수밖에 없었다.

고향에 돌아온 베잘리우스가 친구와 함께 교외의 한적한 길을 산책하고 있을 때였다. 마을 경계에서 한참 벗어난 숲길을 걷던 베잘리우스는 깜짝 놀라 걸음을 멈추었다. 친구는 베잘리우스의 갑작스런 행동에 당황했다.

"이봐, 왜 그래? 무슨 일이야?"

"저것 봐."

친구는 베잘리우스가 가리키는 곳을 바라보았다. 그곳에는 교수대가 우뚝 솟아 있었고, 몸을 축 늘어트린 시체가 매달려 있었다. 며칠이 지났는지 얼굴은 심하게 이지러져 있었다.

친구는 베잘리우스의 옆구리를 꾹 질렀다.

"야, 우리 돌아가자. 재수없게 교수형당한 시체를 만나다니……."

그러나 베잘리우스는 심각하게 말했다.

"이봐, 난 저 시체를 가져가야겠어. 자네가 내 친구라면 좀 도와주게."

"잠깐, 그러다가 들키기라도 하는 날엔 우리도 죽음을 면치 못할걸세."

베잘리우스는 친구의 얼굴을 쏘아보았다. 친구는 울상을 지었다.

"제발 부탁이네. 난 늙으신 부모님이 계시네. 내가 어떻게 되기라도 하면 그분들은 돌아가시네."

그러나 베잘리우스는 단호했다.

"내가 교수대에 올라가서 목에 걸린 줄을 풀 테니까 자네는 밑에서 잡아줘."

몇 번 더 자신의 처지를 호소했지만 결국 친구는 베잘리우스의 눈빛 앞에 고개를 끄덕일 수밖에 없었다.

시체를 교수대에서 풀어 땅바닥으로 내려놓았다.

코와 눈은 벌써 까마귀 밥이 되어버린 시체는 음산하기 그지없었다.

일단 땅바닥에 시체를 뉘여놓았지만, 운반하기가 고역이었다. 환한 대낮에 어떻게 들키지 않고 운반할 수 있겠는가? 그들은 당장 이 난점을 해결할 수 없어 시체를 나뭇잎으로 덮어놓고 집으로 돌아왔다.

밤이 깊자 베잘리우스는 홀로 시체가 있는 곳으로 왔다. 그는 시체를 옮기기 좋게 포장했다. 썩어가는 시체의 역한 냄새가 콧속을 비집고 들어왔다. 베잘리우스에겐 음산한 분위기나 구역질나는 역한 냄새 따윈 문제도 되지 않았다. 그의 머리 속엔 해부에 대한 호기심과 기쁨으로 가득 차 있을 뿐이었다.

시체를 도둑고양이처럼 집으로 옮긴 베잘리우스는 밤새도록 시체를 해부하여 철저히 조사하고 관찰했다.

썩어가는 시체였지만 가레노스의 학설처럼 대퇴부는 개처럼 구부러진 모양이 아니었다. 썩어가는 시체를 헤집는 메스를 든 손이 기쁨으로 떨렸다.

하지만 베잘리우스는 이 해부만으로 만족할 수 없었다. 그후로도 언제나 인체 해부를 떳떳이 할 수 있는 기회만을 엿보았다.

마침내 이탈리아의 대학에서 인체 해부가 허락되었다. 베잘리우스는 서슴지 않고 고향을 등져 이탈리아로 갔다.

파두아 대학의 교수로서 그는 누구보다 먼저 해부용 메스를 손에 잡았다.

파두아 대학의 연구실에 온 지 6년째에 그 동안의 성과물로 베잘리우스는 의학 연구에 전환점을 이룬《인체의 구조에 관하여》라는 책을 출간했다.

나는 내 인생의 주인

◆

운명은
뜻이 있는 자를 안내하고, 뜻이 없는 자를
질질 끌고 다닌다.

심사위원들은 모두 놀랐다.

"이렇게 뛰어난 작품이 이제 겨우 15살밖에 안 된 소년의 글이란 말인가!"

"참으로 훌륭한 문장이오."

"그렇기는 하지만……."

심사위원들은 나이 어린 소년의 작품을 놓고 오랜 시간 심사숙고했다. 마침내는 상위권 밖으로 밀어내 단순한 입선작으로 처리했다. 단지 나이가 너무 어리다는 이유에서였다.

그 결과를 통보받은 소년은 기뻐하지는 않았지만, 그렇다고 낙심하지도 않았다. 비록 입선에 그쳤지만 좀더 노력하면 좋은 작품을 쓸 수 있으리라 생각했다.

소년은 밤낮으로 문학에 빠져 지냈다. 책을 읽거나 글을 쓰는 것이 그의 즐거움이었다. 그러나 소년의 부모와 가족들은 그것을 탐탁지 않게 여겼다.

“애야, 고리타분하게 글 나부랭이를 끄적거리는 것은 이젠 집어치워라. 그건 할 일 없는 사람들이나 하는 쓸데없는 짓이야. 차라리 너는 씩씩하고 용감한 군인이 되는 편이 좋겠다, 알겠느냐?”

아버지는 소년을 불러 충고했다. 그러나 소년은 소신을 굽히지 않았다.

“하지만 아버지, 저는 군인이 되기보다는 소설가가 되고 싶습니다. 그것이 저의 적성에 맞는 일입니다.”

“뭐라구? 쓰잘 데 없는 그 일이 적성에 맞다구?”

“글을 쓰는 것은 결코 쓰잘 데 없는 일이 아닙니다.”

“이 녀석, 네가 뭣을 안다고그래! 아버지가 하라면 고분고분 따를 것이지 무슨 잔말이 많아 앙!”

아버지는 역정을 냈다. 그래도 소년은 또렷한 목소리로 자기의 뜻을 말했다.

“아버지께서 저를 이해하여 주십시오. 저의 길은 문학에 있습니다. 저는 반드시 훌륭한 소설가가 되겠습니다.”

“끝내 아버지의 말을 거역하겠다는 말이냐?”

“허락해주십시오.”

“나는 절대로 허락할 수 없다!”

“정말 부탁드리겠습니다.”

“입 닥쳐! 괘씸한 녀석같으니라구! 네가 정 문학을 고집한다면 내일부터는 학교에도 가지 마라. 이제부터 너의 학비를 주지 않겠다.”

아버지의 결정은 칼날처럼 단호했다. 이튿날부터 정말로 아들을 학교에 다니지 못하게 했다. 그런 방법을 써서라도 아들을 굴복시켜 군인으로 만들 생각임이 분명했다.

그럼에도 불구하고 소년은 자신의 꿈을 포기할 수는 없었다. 소년은 문학이 너무도 좋았다. 꼭 문학에 자기 인생의 가치를 두고 싶었다.

부모님의 열화와 같은 반대 속에서 소년의 글쓰기는 계속되었다. 학비를 대주지 않았기에 스스로 돈을 벌어 학교에 다녀야 했고, 밤을 낮 삼아 글을 썼다.

실로 외롭고도 힘든 문학에의 길이었다. 고독한 자신과의 투쟁이었다.

"빅토르, 너무 힘들지? 고학하는 네 모습을 지켜보는 것이 정말 안타깝다."

처음에 반대했던 소년의 형은 마침내 동생을 위로했다. 소년은 눈을 초롱초롱 빛내며 말했다.

"형, 나를 이해해줘서 고마워. 아버지께서도 형처럼 이해해줬으면 좋겠어. 난 불효자는 아냐. 버릴 수 없는 나의 신념, 나의 꿈 때문에 아버지의 뜻을 어기고는 있지만…….

두고 봐 형, 난 반드시 소설가로서 크게 성공하고 말겠어. 그렇게 되면 아버지도 나를 용서하고 이해해줄 것이 틀림없어."

이렇게 말한 소년의 두 주먹은 어느덧 불끈 쥐어져 있었다. 기필코 자기의 꿈을 실현시키고 말겠다는 결심이었다.

이 소년이 바로 소설 《레미제라블》의 저자 빅토르 위고이다.

가난과 절망 너머엔

◆

중요한 것은
큰 뜻을 품고 그것을 이루는
기능과 인내를 가지는 것이다.

"여비 보내주면 돌아가겠음."

그토록 연극을 반대하시던 아버지의 얼굴이 떠올랐다. 너덜너덜한 외투 사이로 매서운 바람이 들어왔다. 살을 에이는 바람이었다. 그는 주머니를 털어 전보를 칠 마지막 남은 7센트를 꺼냈다.

다시 한 번 전보문을 내려다보았다.

"여비 보내주면 돌아가겠음."

아버지에게 보내는 전보문은 바깥 날씨만큼이나 스산했다. 유랑극단을 만나 집을 뛰쳐나온 후 겪은 일들이 주마등처럼 스쳐 지나갔다.

'아, 그 오랜 세월을 투자한 결과는 이것이란 말인가? 이 전보를 보낼 것인가, 말 것인가. 내 좋아하는 연극을 그만두고 지긋지긋한 집으로 돌아가야 하는가? 지금 내가 내릴 결정에 따라 내 미래의 판도는 달라지겠지. 지금 이 순간의 선택에 따라…….'

우체국 창문을 통해 밖을 내다보니 눈보라가 몰아치고 있었다. 밑창이 닳아진 구두에 눈이 가득 쌓이는 것만 같았다.

한참 동안 허공을 응시하던 그는 결심을 굳힌 듯 전보 용지를 쫙쫙 찢어버렸다. 연극을 계속하기로 다짐한 것이다.

그는 우체국을 나왔다. 그의 모습은 거리를 배회하는 행려병자 같았다.

철도 근처를 기웃거리던 그는 재빨리 화물열차에 올라탔다. 연극을 향한 새로운 모색이 시작된 것이다.

벌채꾼, 날품팔이, 신문사의 3행 광고담당, 전화선 가설공 등으로 전전했다. 그 와중에도 잊지 않은 것은 연극이었다. 몇 개의 극단에도 적을 두었지만 번번이 경영난에 봉착하여 문을 닫곤 했다.

어느 날 극단 리틀 시어터에 전화 수리를 갔다가 그는 행운을 만났다. 이 극단의 무대 감독인 조세핀 딜론을 만난 것이다. 그는 조세핀에게 체계적인 연기 수업을 받았는데, 나중 조세핀은 그의 아내가 되었다.

그러나 가난과 고통은 여전했다.

그러다가 마침내 영화에 출연할 기회를 잡았다. 게다가 그것은 대사가 있는 역이었다. 그는 하늘에라도 오를 듯한 기분이었다. 이번 기회에 헐리우드 진출의 발판을 굳힐 셈이었다.

그러나 그의 예상은 빗나갔다. 이렇다 할 반응이 없었던 것이다. 그가 〈메리 위도우〉에 출연한 대가는 고작 7달러 50센트였다.

몇 년 후, 세계적인 대 배우가 됐을 때에도 그의 방에는 〈메리 위도우〉 출연료 영수증이 액자에 넣어져 벽에 걸려 있었다. 그 밑에는,

"잊지마라, 케이블! 알겠니?"

라고 적혀 있었다.

부드러운 연인 역으로 이름 높은 클라크 케이블의 삶도 고통과 절망 속에서 차츰차츰 바꿔나간 것이다. 이러한 역경이 있기에 〈바람과 함께 사라지다〉의 네트 버틀러 역의 그에게 갈채를 보내는 것이다.

위대한 인간성

◆

사람은 마음이 유쾌하면
종일을 걸어도 싫증이 나지 않지만, 걱정이 있으면
불과 10리 길이라도 싫증이 난다.
인생의 행로도 이와 마찬가지로,
항상 밝고 유쾌한 마음을 가지고 걷지 않으면
안 된다.

어느 날이었다. 노먼 필 박사는 캔터키 공항에서 시내로 향하는 택시를 탔다. 그날 오후는 무척 많은 사람들로 붐비고 있었다. 간신히 자신의 차례가 되어 택시에 올라탔다. 많은 기다림 속에서 겨우 편안하게 차를 탄 박사는 운전기사가 한없이 반갑고 고마웠다. 기사도 시종 미소 띈 얼굴로 그를 보며 빙그레 웃었다.

조심스럽게 운전해가는 동안 서로 이야기꽃을 피웠다. 이런 저런 이야기를 나누다가 정지신호에 걸렸다. 기사는 뒤를 돌아보며 이렇게 물었다.

"저, 실례이지만 손님의 성함이 어떻게 되신지요?"

박사는 자신의 이름을 말했다.

"역시 그렇군요. 저도 그럴 것이라고 생각했습니다. 라디오에서 박사님의 목소리를 들었지요. 박사님의 목소리를 잘 압니다."

운전기사는 계속 말을 이었다.

"만나서 반갑습니다. 이런 때에 박사님이 제 차를 타시다니 참으로 영광입니다."

일순간 침묵이 흘렀다. 얼마쯤 시간이 흐르자 운전기사는 천천히 다시 입을 뗐다.

"아내가 죽었지요. 바로 어저께가 그녀의 장례식을 치르던 날이었습니다."

"……."

"우리는 약 30년간을 같이 살았지요. 그녀보다도 더 멋진 여자는 보지도 못했습니다. 천사처럼 예뻤고 어디 한 군데라도 흠잡을 데가 없는 그런 여자였습니다. 그녀는 누구나 모두 사랑했고, 또 누구든지 그녀를 사랑해주었지요. 그녀는 오랜 세월 나를 극진히 섬겼습니다. 나는 언제나 그녀를 잊지 않고 살아갈 것입니다."

박사는 부드러운 어조로 말했다.

"나도 그렇게 생각하고 있습니다. 당신의 아내도 언제나 당신을 생각하고 있을 것입니다. 그녀는 정신적으로 늘 당신과 같이 있을 것입니다. 당신은 그녀의 사랑을 느낄 것입니다."

감격한 운전기사는 연신 고개를 주억거렸다.

"감사합니다. 정말 감사합니다."

"그녀는 정말 훌륭한 여자였어요. 박사님께서도 그녀를 한번 보았더라면 좋을 뻔했습니다."

교통이 혼잡한 잠시 동안 대화는 끊겼다.

"인생은 고민덩어리지요. 그렇지 않습니까, 박사님? 나는 아이들이 5명 있습니다. 그 중에서 4명은 착하지요. 그런데 나머지 이 한 명이 문제랍니다. 그 아인 약을 먹습니다. 그리고 나쁜 아이들과도 어울려 돌아다니지요. 그 아인 태도 역시 오만 불손하기가 그지없답니다. 그 아이 때문에 언제나 노심초사 걱정을 많이 했습니다. 어쩔 도리가 없습니다. 제 어미를 꽤나 괴롭혔었지요."

"이제 나는 그 아이에게 아버지와 어머니의 역할을 해주고 있지요."

"저, 뭐라……."

운전기사는 박사의 입을 막았다.

"박사님이 무슨 말씀을 하시려고 하는지 저도 잘 알고 있습니다. 그러나 저는 이제 동정의 말은 필요없습니다. 하나님의 도움으로 능히 해결할 수 있습니다. 걱정마십시오. 가정 일을 열심히 하고 있으니까요."

"박사님, 그렇지 않은가요? 우리는 우리에게 생기는 어떤 문제보다도 더 위대한 존재입니다."

혼신의 힘을 다하는 연구력

◆

혼신의 노력으로 정신을 집중하면
목표는 반드시 이루어진다.

"컹컹 컹컹컹."

그는 미쳐 날뛰는 개를 향해 조금씩 다가갔다. 자칫 잘못하면 미친 개에게 물려 광견병 백신도, 그의 삶도 끝장날 판국이었다. 어렸을 적 미친 개에게 물려 죽은 아이의 모습이 선명하게 되살아났다. 그 아이의 참혹한 죽음은 파스퇴르를 끈질기게도 뒤쫓아다녔다. 아니, 백신을 발견하도록 그를 내몰았다.

사납게 짖어대는 미친 개의 침을 건강한 실험용 토끼의 몸에다 접종하는 실험을 계속 해오곤 했다. 그러다가 때때로 토끼를 직접 미친 개가 물도록 하는 실험을 했다.

그런데 오늘은 개 집에다가 토끼를 집어 넣었는데도 물지 않았다. 입에 거품을 하나 가득 물고 있는 미친 개는 단지 사납게

으르렁거릴 뿐이었다.

이런 상태에서 실험은 결코 이루어지지 않았다. 하는 수 없었다. 다른 방도를 취할 수밖에 없었다. 이 광견의 입에서 침을 받아내어 토끼에게 주사를 놓아야겠다고 생각했다.

"컹컹 커엉컹."

미친 개는 더욱 기세를 부렸다. 으르렁거리는 정도가 점점 심해지는 듯했다. 개는 탁자의 다리에 단단히 매어져 있었다. 시험관을 손에 들고 날뛰듯 흥분하고 있는 개를 향해 가까이 접근해갔다. 실로 목숨이 위태한 순간이었다.

"파스퇴르 박사님, 너무 위험합니다. 어쩌면 목숨을 잃을 지도 몰라요."

"그만두세요. 생명이 위태롭습니다."

비서와 그를 지켜보던 주위의 사람들이 만류했다. 그러나 죽음의 위험에 직면하고 있다는 사실을 잊은 것처럼 매우 침착하게 움직였다. 독이 들어 있는 침을 짜서 조심스럽게 한 방울 한 방울 시험관에 받았다. 뚝뚝 떨어지는 침을 충분히 채취한 후 주위 조교들에게 말했다.

"자 제군들, 이제부터 실험을 할 수가 있습니다."

이렇게 채취된 균으로 그와 연구진들은 실험을 계속했다.

두 달 후였다. 알자스 지방의 죠셉 마이스터라는 소년이 미친 개에게 물린 것이다.

"이 아이를 당장 파스퇴르 박사에게 데려가시오. 그가 광견병 치료제를 발견한 것 같소."

담당의사의 말에 소년의 어머니는 박사에게 데려갔다. 드디어 동물에게만 실험하여 성공적 결과를 얻었는데 사람에게 접종할 기회가 온 것이다.

그것은 일종의 모험이었다. 처음에 박사는 주저했으나 접종하기 시작했다.

사람에게 이러한 방법이 성공하는가. 어쩌면 더 지독한 독을 몸에 넣어주게 되는 것은 아닌가. 이러한 행위를 하게 되는 충분한 합리적 근거는 있는가.

내심으로 걱정이 많이 되었다. 그러나 이런 걱정도 잠깐이었다. 마지막으로 접종을 한 날 밤이었다. 잠 못 이루는 긴장과 공포 속의 밤이었다. 소년의 잠든 모습은 편안해보였다.

31일이 지났다. 병의 증세는 더이상 악화되지 않았다. 재발되지도 않았다. 소년은 완쾌된 것이다. 광견병은 정복되고 말았다.

수영으로 영국해협을 건넌 여자

◆

구체적이고
선명한 목표를 향해 전진해보라.
성공은 벌써 그 안에 있다.

1926년 영국 해협을 수영으로 건너고 있는 여자가 있었다.

"푸하 푸하."

파도는 맞부딪쳐 왔고 물은 차가웠다. 세찬 물살에 짓눌려 여러 번에 걸쳐 궤도 이탈을 해야 했다.

그녀가 이 해협을 건너게 된 것은 자동차 때문이었다.

몹시도 고급 자동차를 가지고 싶었던 그녀는 도전했다. 기록을 내기 위하여 이렇게 힘차게 팔과 다리를, 아니 온몸을 휘젓고 있는 것이다.

'영국 해협을 수영으로 횡단한 여자에게는 우리 자동차 회사의 상품인 빨간색 고급 자동차 한 대와 상금 2천5백 달러를 보상금으로 주겠다.'

어느 자동차 회사의 자회사 홍보겸 내세운 제안에 그녀는 도전한 것이다. 그녀는 겨우 19살 난 미국 처녀였다.

"말처럼 쉬운 일이 아니야. 그건 정말 여자의 힘으로는 불가능한 도전이야."

"웬만한 여자 아니면 안 돼."

"그녀는 도중에 익사하고 말거야."

도전하는 자신을 말리는 무리들을 뒷전으로 밀쳐내고 그녀는 일단 시도해보기로 했다. 횡단을 목표로 삼은 것이다.

"해보겠어. 해내겠어. 내가 원하니까. 원하는 것은 이루어진다. 꼭 자동차를 소유하고 말테다."

준비 운동을 간단히 한 후 그 첫 다이빙을 했다. 당연히 그것은 쉬운 일이 아니었다. 처음 몇 미터까지는 좋았다. 간단하게 쭉 미끄러지듯 헤엄쳐갔다. 그러나 얼마 후에 힘이 점점 빠졌다. 그녀는 지친 것이다. 남자의 체력으로도 하기 힘든 일이었는데 여자의 신체적 한계는 말할 필요도 없었던 것이다.

그녀는 더이상 수영을 계속할 수 없음을 깨달았다.

"푸하 푸하."

재시도를 했다. 불가항력이었다. 이젠 물 위에 떠 있다는 것조차 괴로웠다. 더이상 수영을 계속할 수가 없었다.

하는 수 없이 물에서 구조되기를 기다렸다. 잠시 눈을 감았다. 피곤한 탓이었다.

바로 그때 빨간 고급 승용차가 물결에 흔들리는 자신의 몸처럼 흐느적거리고 있었다. 번쩍 눈을 떴다. 자동차를 가져야겠다는 욕망이 불처럼 확 달아올랐다. 그것은 새로운 힘의 원천이였고, 곧바로 에너지가 되었다.

"푸하 푸하."

자신의 목적지인 해안의 모래 위에 설 때까지 멈추지 않고 계속 전진했다. 발끝에 닿을 모래를 생각했고, 선연히 떠오르는 빨간색의 자동차를 생각했다.

그녀는 기록했다. 영국 해협을 수영으로 건넌 최초의 여자 겔트루드 에델레라는 이름을.

열망 투자 획득

자네가
맹렬하게 열망하고,
그것을 입수하기 위해 대가를 지불할 작정이라면
자네는 반드시 그것을
획득할걸세.

"신문이오!"

열두 살 소년의 카랑카랑한 목소리가 새벽공기를 뚫고 퍼져나갔다. 소년은 자신의 몸집만한 신문꾸러미를 한아름 안고 거리거리를 누비고 있었다.

랄프 니콜슨은 열두 살 무렵 〈리치먼드 인디아나 아이템〉 신문을 배달하는 일부터 시작했다. 우선 당장은 돈이 필요해서였지만 그에게는 꿈이 하나 있었기 때문이다. 그것은 스스로 신문을 소유하는 일이었다.

그는 5년 동안 신문 배달을 했다. 신문에 관한 일인지라 피로한 줄 몰랐다. 알함 대학에 다닐 동안에는 파트타임의 통신원으로 일했다. 여름 방학에는 자동차, 브러시, 알미늄, 서적 판매, 신문 구독 권유 등의 일을 했다. 단 한순간도 쉬지 않고 일을 했다.

졸업이 가까웠을 무렵, 당시 〈필라델피아 퍼블릭 레져〉지의 유럽 특파원으로 초빙되자 그는 학업을 포기하고 그 일을 맡았다. 그후 13년 동안 그는 언젠가는 자기의 신문을 갖는다는 신념을 다지면서 런던, 베를린, 동경, 필라델피아, 뉴욕에서 언론기관에 종사했다. 신문에만 매달리는 그를 친구들은 미쳤다고 수근거리며 그의 가족들을 가엾게 여겼다.

그의 오랜 소망의 실현을 어렵게 하고 있는 것은 그에게 자본도 없고 신용도 두텁지 못한 점 때문이었다.

니콜슨은 쉬지 않고 일을 계속했다. 그러는 동안에 가장 큰 난관이었던 자본과 신용에 관한 문제가 해결되었다.

결국 그는 템퍼 시의 〈템퍼 데일리 타임즈〉와 WDAE 방송국의 주식 절반과 〈뉴올리언즈 아이템〉지를 완전히 소유하게 되었다.

그는 세 가지 주요 목적을 달성하는 데에 34년이라는 세월을 투자했다. 그 중 3년 동안은 사랑하는 사람과 결혼하기 위하여, 13년 동안은 신문을 소유하기 위하여, 18년 동안은 졸업을 1년 남겨놓고 있었기 때문에 보류해두고 있던 석사 학위를 하버드 대학으로부터 획득하기 위하여였다.

니콜슨은 말한다.

"자네가 맹렬하게 열망하고, 그것을 입수하기 위해 대가를 지불할 작정이라면 자네는 소망하는 것을 획득할 당연한 이유를 자네 자신의 내부에 가지고 있는걸세."

희생없이 이뤄지는 일은 없다

무슨 일이나
희생 없이는 이루어지지 않는다.

널리 알려지기를 최초로 하늘을 비행한 사람은 미국의 라이트 형제라고 한다. 그러나 라이트 형제보다 먼저 비행기를 만들어 하늘을 비행한 사람은 독일의 오토 릴리엔탈이다.

엄밀하게 말하자면 그가 만든 것은 엔진을 부착한 비행기가 아니라 글라이더였다.

그는 글라이더를 만들어 천 번은 족히 넘을 만큼 실험을 계속했다. 땅 위를 걸어다니기만 하던 일상에서 벗어나 하늘을 나는 것은 유쾌하기 그지없었다. 그 유쾌함을 다른 사람에게 나눠주기 위해 실험에 실험을 거듭하며 글라이더를 수정·보완해나갔다.

1896년 8월 9일, 이날도 여느때처럼 실험에 열중했다. 그러나 그가 땅을 박차고 높이 올랐을 때 갑자기 강한 바람이 불어왔다. 그는 그만 30미터 높이에서 땅으로 추락하고 말았다. 그리고 다음날 하늘을 나는 데 온 열정을 바친 그가 숨을 거두었다.

안타깝게 바라보는 지인(知人)들에게 죽기 바로 직전 입을 열었다. 오히려 지인들을 위로하는 말이었다.

"무슨 일이나 희생 없이는 이루어지지 않는다."

그의 말대로 라이트 형제는 그의 희생을 두고보지만은 않았다. 라이트 형제는 릴리엔탈의 사망 뉴스를 접하고 난 후 더욱 열성적으로 비행기 연구에 매달렸고 결국에 해냈던 것이다.

노래와 빛의 제전

◆

사람들과 함께
노래를 불러
모든 사람은 하나라는 연대감을
느끼고 싶다.

카네기 제철소에 근무하는 해리 반하트는 노래부르는 걸 무척 좋아했다. 그는 직장에서건 집에서건 쉬는 시간이면 어김없이 노래를 불러댔다. 그의 맑고 투명한 바리톤의 음색은 제철소의 동료들에게 커다란 감동을 안겨주기도 했다.

시간이 흐를수록 점점 반하트의 동조자가 늘어갔다. 쉬는 시간에 노래부르는 사람들이 늘어난 것이다. 혼자 부르는 것보다 여럿이 함께 부르는 노래는 흥겨웠다.

노래부르기가 제철소 안에서 상설화되자 그는 하나의 꿈을 꾸게 되었다. 나라 안의 많은 사람들이 소리를 모아 마음을 같이하여 음악의 하모니를 만들어내는 꿈이었다.

어느 날 반하트는 이를 실행해보기로 했다. 그는 뉴욕의 센트럴 파크 관리위원회에 공원 산책로에 있는 야외음악당 사용을 신청했다. 그는 신청서에 사용 이유를 이렇게 적었다.

"사람들과 함께 노래를 불러 모든 사람의 마음은 하나라는 연대감을 느끼고 싶다."

허가가 나온 첫번째 일요일, 반하트는 순백의 플라네 양복으로 차려입고 무대에 올랐다. 피아노 반주는 그의 여자 친구가 맡았다.

관객도 없는 무대에서 한 청년이 노래를 부르자 산책하던 사람들이 기웃거리기 시작했다. 반하트는 조금이라도 관심을 보이는 사람에게 악보를 나눠주었다.

해질 무렵이 되자 그는 모여든 사람들에게 물었다.

"다음주에도 오시겠습니까?"

"예!"

사람들은 소리쳤다. 모두들 흥에 겨운 듯 얼굴빛이 발그스름했다.

"친구를 데리고 오실 분은?"

사람들은 아우성과 함께 손을 번쩍 들었다. 반하트는 웃음지으며 말했다.

"좋습니다. 저도 다음주에는 더욱더 많은 악보를 가지고 오겠습니다."

다음주 일요일, 반하트가 야외음악당에 도착했을 땐 벌써부터 많은 인파들이 몰려들고 있었다. 곳곳에 신문기자들의 모습도 보였다.

반하트는 상기된 모습으로 무대에 올랐다. 몰려든 사람들과 함께 마음을 맞추어 노래를 불렀다.

노래가 끝나자 그는 물었다.

"다음주에도 오시겠습니까?"

"친구들과 이웃 사촌들까지 데려오실 분은?"

즐거움에 가득 찬 사람들을 향해 만면에 웃음을 띠우며 계속 말을 이어 나갔다.

"다음주에는 악대를 불러 반주하게 하면 더욱 흥겹겠지요. 하지만 제겐 돈이 없습니다. 적어도 1천달러는 필요할텐데요."

음악회가 끝난 후 기부금을 내려는 사람들이 반하트의 주위를 에워쌌다. 그러나 반하트는 후줄근한 옷차림의, 자신처럼 가난하게 보이는 그들에게서 돈을 받을 수가 없었다.

그들을 뿌리치고 집을 향해 걸었다.

그때 한 귀부인이 조용히 그를 불러세웠다.

"저어, 제 남편은 음악계에 종사하고 있습니다. 저도 음악을 무척 좋아하구요. 많은 오페라, 관현악 연주회 등을 다녔지만 오늘처럼 즐거운 적은 없었습니다. 참으로 기쁩니다. 이 기쁨이 계속됐으면 합니다. 여기 1천달러가 있습니다. 이걸로 악단을 초청하세요."

귀부인은 반하트의 손에 1천달러짜리 수표를 쥐어주고 총총 사라져갔다.

그 다음주 일요일에는 20만의 인파가 물결처럼 몰려들었다. 악단까지 동원한 그날의 음악회는 대성황을 이루었다.

'센트럴 파크의 노래와 빛의 제전'은 이렇게 시작되었다. 반하트의 함께 노래부르는 꿈이 실현된 것이다.

빛을 판 사람

무릇
사업에 필요한 것은 하는 힘이 아니라
해내려고 하는 결심이다.

20세기로 접어드는 1900년대 코올먼은 문명의 혜택을 거의 받지 못하는 앨라배마 주에서 타이프라이터 세일즈맨으로서 일하고 있었다.

어느 날이었다. 여느때처럼 직장을 나가던 그는 눈부신 빛을 발산하는 가스 압축램프를 발견했다.

'이야! 이 빛만 있다면 밤에도 일을 할 수 있을텐데. 집집마다 가스등을 켜면 거리는 대낮 같겠지.'

그 램프는 어느 곳에 있는 사람에게나 꼭 필요할 거라고 생각했다.

코올먼은 제조업자를 물색하여 가스 램프를 파는 사업을 벌였지만 쉽사리 팔리지 않았다. 그는 그 이유를 세심히 연구하기 시작했다. 고객의 반응, 제품 자체의 결함, 세일즈맨의 태도 등을 검토했다. 그 결과 전에 일했던 세일즈맨의 무책임한 판매방식 때문에 민망할 정도의 악평만을 받고 있으며, 램프 그 자체에도 몇 군데 결점이 있어 1개월만 사용하면 상태가 고르지 못하게 된다는 사실을 깨달았다.

코올먼은 생각을 달리했다. 그는 그 지역에서 돈을 벌려는 생각을 버렸다. 그는 그 지역에 도움이 되기를 바랐다. 그는 결점이 없어질 때까지 연구하였고, 그뒤 그것을 제조하는 권리를 사들였다. 그때까지도 사람들은 램프의 효능을 의심하고 있었기 때문에 그는 우선 이 난관을 타개하기로 결심했다.

그는 램프를 파는 대신에 빛을 팔기 시작했다. 그는 1개월 단위로 램프를 손님에게 빌려주고 서비스를 계속했다. 만일 램프가 사용자에게 도움을 주지 못했다면 사용료를 받지 않았다.

그는 손님이 득을 보았으면 보았지 손해를 보지 않도록 노력했다.

그의 노력은 헛되지 않았다. 사람들은 그의 가스등의 효능을 인정하기 시작했다. 하지만 애석하게도 바로 그 시점에 전등이 보급되고 있었다.

'가스등 제조업자가 어떻게 전등과 경쟁할 수 있을까, 전등으로는 할 수 없으나 가스등으로는 할 수 있는 것은 무엇일까?'

코올먼은 곰곰 자문해보았다. 그리고 코올먼은 전등과 다름없는 밝은 빛을 낼 수 있을 때까지 램프를 연구 개발했다. 마침내 그는 전등 스위치와 마찬가지로 재빨리 즉석에서 점등할 수 있는 장치를 발명했다.

그는 여기에서 그치지 않고 들고 다닐 수 있을 뿐 아니라 휘둘러도 꺼지지 않는 랜턴을 완성했다. 코올먼의 휴대용 램프나

랜턴, 휴대용 스토브는 농민, 스포츠맨, 수렵가, 하이커, 선원, 군인들에게 많은 도움을 주었다.

에로이카

◆

당신이 지금
공작의 작위를 가지고 있는 것은
우연히 그 가문에 태어났기 때문이죠.
과거에도 미래에도 공작은 존재하겠지요. 하지만
나는 시공을 통틀어
단 하나뿐인 존재입니다.

"오직 예술만이 나를 붙들었다. 나는 고통의 쓴 잔을 비웠다. 그것은 내 영혼 속에서 아름다움으로 변할 것이다. 나는 나 자신에게, 인류에게 그리고 하느님께 감사드린다. 나는 나의 음악을 써야만 한다. 하늘의 영원한 영광을 위해서 오선지를 채워나가야 한다."

고통과 인내와 노력으로 하늘의 영원한 영광과 인류애를 노래하는 것, 음악을 통한 구원을 얻기 위하여 세상과 인연을 끊었던 베토벤, 이러한 그의 사상은 그 자신 생애의 주목적이 되었다.

그 당시 유럽의 전쟁터에는 베토벤처럼 구원을 얻으려 하는 또 다른 사람이 있었다. 정복을 통한 구원을 얻으려는 듯했다. 그는 나폴레옹을 굉장히 열렬하게 숭배했다. 나폴레옹을 자유,

평등, 박애를 해치는 절대왕조의 대적(大敵)으로 보았고 인류의 구세주로까지 생각했다.

교향곡 제3번을 지었다. 그에게 바치려고 파리로 보내려 했다. 그런데 나폴레옹은 그를 배신했다.

"나는 곧 황제임을 선포한다."

나폴레옹은 자신의 원칙을 배반한 것이다. 분노 때문에 얼굴 표정이 일그러진 베토벤은 헌납하려던 곡의 겉표지를 찢어버렸다.

"나폴레옹 그도 평범한 인물에 지나지 않는다. 그 또한 인간의 마음을 짓밟는 다른 폭군들과 다를 바 없다."

즉시 교향곡의 제목을 바꿔버렸다.

그것은 '육신은 아직 살아 있지만 영혼은 이미 사라져버린 지 오래인 어느 위인을 기념하여서'인 〈에로이카〉였다.

나폴레옹 군대가 실레지아를 침략했을 때였다. 어느 날 저녁 실레지아에 있는 리히노브스키 공작의 성으로 초대되었다. 그곳에는 일단의 프랑스 군 장교들이 정복지에 남아 있었다. 베토벤은 공작의 성에서 그들을 보고는 인상을 찌푸렸고, 그들의 연주 요청을 단호히 거절했다. 그들은 단순한 호기심의 대상으로, 요술쟁이나 무용수라든가 손재주가 뛰어난 마술사쯤으로 자신을 취급하고 있음을 이내 알아차린 것이다.

"베토벤 부탁이네. 저 장교들의 연주 요청을 허락해주게나."

공작은 간청했다.

"연주를 하든가 아니면 전쟁 포로로 이 성에 감금되든가 하시오."

베토벤은 즉각 성을 뛰쳐나왔다. 밖에는 폭우가 쏟아져 내리고 있었다. 그 빗속을 3마일 정도 걸었다. 그리고 다음 마을에

도착하자마자 역마차를 기다리는 동안 공작에게 편지를 썼다.

"공작! 당신이 지금 공작인 것은 우연히 가문을 그렇게 타고났기 때문입니다. 지금의 나, 나 자신은 철두철미한 나 자신입니다. 과거에도 그리고 앞으로도 공작은 많이 있겠지요. 하지만 베토벤은 단 하나뿐입니다. 아시겠습니까?"

전진

◆

소망의 성취는 멀리 있는 것이 아니다.
얼마만큼이나 확고한
목표를 향해 전진해나가느냐에 달려 있다.

세계적인 자동차 회사를 이룩해낸 사람의 기본적 자세에는 남다른 무엇이 있었다.

"무슨 일이 있어도, 설령 하늘이 무너져 내리는 한이 있어도 창조해내야 해. 꼭 해내야 된다."

의연한 자세로 단호히 명령하는 말 속에는 재고의 여지도 없었다.

헨리 포드, 그가 너무나도 잘 알려진 V. 에잇 엔진을 개발했을 때의 일이었다. 그는 8개의 실린더를 단 하나로 묶어서 조립한 엔진을 제작하려고 했다. 이에 대한 설계도 의뢰를 명령받은 엔지니어들은 그 아이디어를 설계도에 그려봤다. 엔지니어들은 그것이 이론적으로 불가능하다는 결론에 도달했다.

"무슨 일이 있어도 창조해."

"그러나 역시 불가능한 것은 불가능한 것입니다. 도저히 그것은 힘들고 불가능합니다."

엔지니어들은 반론을 제기했다.

"어쨌든 해야 돼. 설사 아무리 많은 시간이 걸리더라도 무시하고 완성할 때까지 일에만 몰두하라. 전심전력 최선의 노력을 다하는 거야."

그는 단념하지 않았다. 맞부딪치는 논란이 오고 갔지만 결국 이 새로운 엔진의 개발은 착수되었다. 그럼에도 불구하고 6개월 정도의 시간이 흘렀지만 아무런 성과도 없었다. 어디서부터 어떻게 시작해야 하는지 종잡을 수 없었다. 이렇다 할 성과 없이 또 그렇게 1년여 시간이 흘렀다.

그의 요구에 따라 엔지니어들은 갖가지 상상력을 총동원했다. 회사의 사활(死活)을 걸고 피나는 노력에 노력을 했다. 그러나 결국에는 어쩔 수 없이 불가능이라는 결론을 내렸다.

엔지니어들의 세번째로 내린 불가능한 일이라는 실험 보고서를 받아든 그는 의미심장한 어조로 말했다.

"재시도하라. 몇 번이라도 시도하고, 또 시도하라. 끝없는 도전, 도전. 아무튼 나는 재도전만을 읽겠다."

막무가내로 놀라운 기세로 몰아세우는 그에 의해 엔지니어들은 하는 수 없이 재도전했다. 단지 대답은 그뿐임에는 다른 여타의 설득은 필요없는 것이기 때문이었다.

이 끊임없는 도전이 V. 에잇 엔진을 완성시켰다.

삼령오신

◆

군대에서는 장군이 최고 권위자입니다.
왕명이라 해도
지휘를 위해서는 듣지 않을 수가 있습니다.

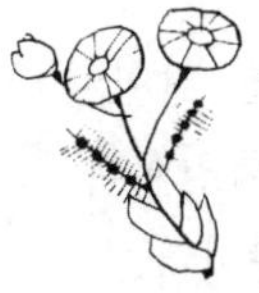

손무(孫武)의 병법서(兵法書)를 읽은 오왕(吳王)은 그 심오한 병법철학에 크게 감탄했다. 그래서 그를 시험해볼 생각에서 궁전으로 불렀다.

"그대의 방법으로 내 시녀들을 훈련시켜보지 않겠소."

"좋습니다."

손무는 쾌히 승낙했다. 그러자 오왕은 시녀 여든 명을 선발하여 손무에게 맡겼다.

손무는 시녀들을 두 패로 나누고 오왕이 총애하는 두 후궁을 양 패의 대장으로 임명했다.

"앞이라 명령하면 앞쪽을, 왼쪽이라 하면 왼쪽을, 뒤라 하면 뒤를 보아라."

손무는 한손엔 북채 한손엔 도끼를 들고 근엄한 표정으로 여러 가지 지시 사항을 말했다.

"이 도끼는 처형의 도구이다. 자, 다시 한 번 말한다. 앞이라 명령하면 앞쪽을……."

같은 명령을 세 번 내리고 다섯 번 말하였다. 〔三令五申〕

그런 후에 큰 북을 두드리며 "우측!" 하고 호령했다. 그러나 시녀들은 서로서로 마주보며 웃을 뿐, 조금도 호령에 따르지 않았다.

이 광경을 본 손무는 크게 노하여 먼저 자신을 책망했다.

"호령이 지켜지지 않은 것은 지휘관답지 못한 내 책임이다."

손무는 앞의 호령의 내용을 반복하여 설명했다. 그런 후, 그는 다시 북을 치고 "좌측!" 하고 명령했다. 그러나 이번에도 시녀들은 역시 서로의 얼굴을 마주보며 킬킬댈 뿐이었다.

얼굴이 무섭게 일그러진 손무는 더이상 자신을 책망하지 않았다.

"나는 분명히 명령을 내렸고 그대들은 내 명령을 알아들었다. 그런데도 명령에 따르지 않음은 대장된 자의 책임이다. 지휘관의 명령을 받들지 못한 대장은 엄벌이 있을 뿐이다."

손무는 차갑게 말한 후에 병사들을 향해 추상 같은 호령을 내렸다.

"여봐라! 각 패의 대장을 끌어내 참수하라!"

이때 오왕은 깜짝 놀라 소리쳤다.

"여보시오, 장군! 두 사람은 내가 총애하는 후궁이오. 두 사람을 잃으면 나는 크게 낙심할 것이오. 내 장군의 용병술을 잘 알았으니 두 후궁을 살려주오."

손무는 오왕을 향해 우렁차게 말했다.

"나는 왕으로부터 장군으로 임명받았습니다. 군대에서는 장군이 최고 권위자입니다. 왕명이라 해도 지휘를 위해서는 듣지 않을 수가 있습니다."

손무는 왕의 간청을 거부하고 두 후궁을 참수했다. 그리고 새로운 대장을 선발한 후, 다시 호령했다. 그러자 전원이 빠르고도 정연하게 명령에 따랐다.

이로 인하여 손무의 병법은 오왕에게 인정받게 되었고, 오나라는 춘추시대의 강국이 되었다.

뜻이 있는 곳에 길이 있다

◆

때로는 놀라운 결단력이
기적을 낳는 발단이 되기도 한다.

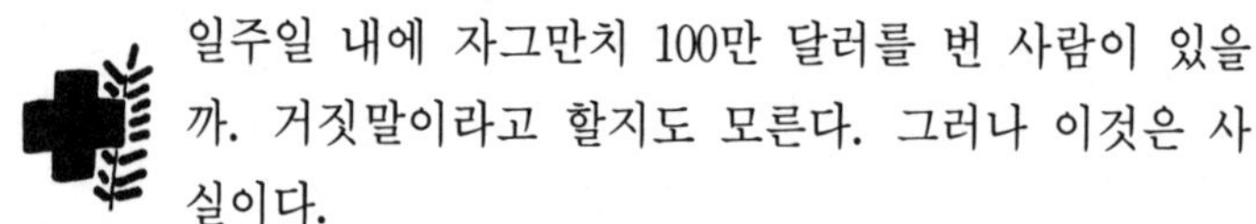

일주일 내에 자그만치 100만 달러를 번 사람이 있을까. 거짓말이라고 할지도 모른다. 그러나 이것은 사실이다.

프랭크 간솔러스는 훌륭한 교육자이고, 목회자였다. 학창 시절 그는 학교의 제반 제도적 문제점을 간파한 적이 있었다. 그때 만약 자신이 총장이 된다면 이러한 교육제도의 개혁을 단행하리라고 계속 생각했다.

목사가 된 후였다.

'내가 직접 학교를 세우리라. 낡은 교육 방법에 이끌리지 않은 나의 뜻대로 교육할 수 있는 새로운 대학을 설립하리라.'

마음과는 달리 결코 그것은 쉬운 일이 아니었다. 설립 자금은 어떻게 마련해야 하는지 그저 막연하기만 했다.

'그렇다. 성공을 성취한 사람이라면 누구나 그러했듯이, 먼저 자기의 목표를 명확히 하지 않으면 안 된다.'

과연 목사이면서도 철학자다운 언행이었다. 새로운 대학의 필요성과 그 목표를 명약관화하게 했다. 의욕과 박력과 상상력은 그를 용솟음치게 했다.

'목표는 그렇다치고 자금은 어떻게 한담.'

방도를 강구했다. 만약 그가 일반적인 상식에 따랐다면 너무 쉽게 좌절하고 말았을 것이다.

'내 생각은 매우 훌륭한 것이야. 하지만 어느 누구도 돈 구할 방법을 생각해내지 못하는 이상 나로서도 100만 달러는 불가능한 일이야. 하는 수 없지.'

이런 생각은 누구나 쉽게 할 수 있었다. 그러나 그는 절대로 그렇게 생각하지 않았다.

어느 토요일 오후 그는 방에서 100만 달러를 만들려면 어떻게 하면 될 것인가 하고 생각에 잠겼다. 2년 동안이나 이 문제를 생각해왔지만 생각하는 일 이외에 그가 실천으로 옮긴 일은 하나도 없었다.

그러다 갑자기 어딘가에 충격을 받은 듯 이렇게 결심했다.

'좋아, 1주일 이내에 그 돈을 마련하자.'

수단과 방법은 문제가 되지 않았다. 중요한 것은 기간 내에 구하겠다는 결심이었다.

목사는 신문사에 전활 걸었다. 설교 신청을 요청한 것이다. 제목은 이러했다.

'만일 내가 100만 달러를 가지고 있다면 무엇을 할 것인가?'

당장에 설교 준비를 했다.

2년간 생각해온 것을 정리하고 자신감에 가득 차 잠이 들었다.

이튿날 아침 일찍 깨서 오늘의 원고가 사람의 마음을 움직이게 하여 100만 달러가 모이게 해달라고 간절히 기도했다.

드디어 설교단으로 올라갔다. 그런데 그만 설교 자료를 깜빡 잊고서 가져오질 않았다.

다시 돌아가는 것은 이미 늦었다. 그러나 원고 대신에 잠재의식이 모든 상황을 도와주었다.

설교가 시작됐다.

"전신전령(全身全靈)을 다해서 일하겠습니다. 사람들이 좀더 실용적으로 능력을 익히고 풍부하고 따뜻한 마음을 기를 수 있는 새로운 대학을 창조하겠습니다."

그는 구구절절이 자신의 비전을 토로했다. 강단에서 내려오려고 할 때였다. 어떤 신사 한 사람이 양팔을 벌리며 그에게 다가왔다.

"목사님, 당신의 설교에 감격했습니다. 저는 믿습니다. 내일 제 사무실로 오십시오."

이 신사는 필립 D. 어무어였다.

어무어 실업 대학은 곧 설립됐다. 돈을 손에 넣으려고 결심하고, 무엇을 할 것인가를 생각해 그것을 실행에 옮기고부터 불과 36시간 내에 100만 달러나 되는 막대한 돈을 얻은 것이다.

뜻이 있는 곳에

해야 할 것을 하려고 결심하라.
일단 결심한 것은 반드시 실행에 옮기라.

영화 〈바람과 함께 사라지다〉를 제작하기 위하여 배역진을 찾을 때의 일이다. 다른 배역들은 거의 결정되었지만, 아름다우면서도 억센 여주인공 스칼렛 오하라 역은 쉽게 구할 수가 없었다.

그래서 또다시 광고를 내고, 기존 여배우들을 검토하기 시작했다. 아무튼 스칼렛 오하라의 역을 담당할 여배우를 찾는 데 혈안이 되었다.

이때 그다지 인기를 얻지 못하던 영국의 한 여배우가 자기 의상실에서 이 대규모의 '탈렌트 찾기' 기사를 읽고 있었다.

그녀는 읽던 신문을 조용히 내려놓고 골똘히 생각에 잠겼다.

"애, 웬일이니? 왜 그렇게 맥없이 앉아 있어."

그녀의 친구가 물었다.

"응, 스칼렛 오하라 역을 내가 맡을 거라는 생각을 했어. 당장 응모할거야."

"뭐라구! 네가 스칼렛 오하라 역을 맡는다구……."

친구들은 모두 웃음을 터뜨렸다.

"얘, 꿈은 좋지만 미국은 어떻게 갈래. 배삯이라도 있어?"

"깨질 꿈은 빨리 깨는 게 좋아."

그 여배우의 이름은 영국은 물론 헐리우드에도 알려지지 않았으며, 알릴 만한 연줄도 없었다. 그래서 그녀가 미국으로 건너가는 것조차 쉽지 않았다. 더군다나 스칼렛 오하라같은 순수한 미국인의 역할을 외국의 여배우에게 맡기는 것을 미국의 촬영소가 반기지 않을 것도 틀림없었다. 그래도 그녀는 막무가내였다.

"나는 기필코 스칼렛 오하라 역을 맡으러 갈테야."

몇 개월 후, 그녀에게는 다른 일로 미국에 건너갈 기회가 찾아왔다. 동경하던 헐리우드에 닿았지만 자기 스스로 스칼렛 역의 최적임자라고 생각할 뿐 그녀가 발탁될 만한 요건은 하나도 없었다. 그러나 그녀는 자기 앞에 닥친 기회를 놓치지 않고 사용했다. 그녀는 결국 스칼렛 오하라 역을 맡았고 훌륭하게 연기를 해냈다. 그녀만큼 스칼렛 역을 잘 연기할 배우는 세계 어디에도 없을 것이다. 이 무명의 여배우가 〈애수〉에서 로버트 테일러와 슬픈 사랑의 연기를 하던 비비안 리이다.

제5장

사소한 문제에서부터 출발하라

✸

우리의 도리는 성공에 있지 않고
실패에 꾸준히 더욱 전진하는 것이다.

판단

◆

막 올라타려고 한 배에는
주저하지 말고 올라타라.

언젠가 뉴욕 일류 연극 평론가들이 모여 무기명 투표로 세계 최고의 걸작 10선을 뽑았다. 제1의 걸작은 그 명성에 걸맞게 희곡작가 셰익스피어의 《햄릿》이 차지했다. 그렇다면 제2의 걸작은 무엇이었을까? 독자들이 짐작하듯 셰익스피어나 라신느, 브레이트의 작품도 아닌 섹스와 신앙과의 처절한 투쟁을 그린 존 콜튼의 작품, 《비(雨)》였다.

콜튼의 극본 《비(雨)》는 서머셋 모옴의 《새디 톰슨》을 극화한 것이었다.

어느 날 밤, 극작가인 존 콜튼이 모옴을 방문했다. 콜튼이 머물 방안에서 담소를 나누다가 콜튼이 자리에 눕자 모옴은 방을 나갔다. 모옴이 방문을 닫는 딸깍거리는 소리가 들리자 콜튼은 갑자기 졸음이 사라졌다. 아무리 잠을 청해도 두눈은 말똥말똥해지기만 했다. 그래서 콜튼은 다시 모옴을 불렀다.

"이봐, 잠들 때까지 읽을 만한 책이 없을까?"

모옴은 즉시 《새디 톰슨》의 교정쇄를 건네줬다. 《새디 톰슨》은 근래 완성한 모옴의 작품으로 그 자신이 생각하기에 별로 좋은 작품이 아니었다.

콜튼은 《새디 톰슨》의 교정쇄를 한 장 한 장 넘겼다. 책을 읽어갈수록 잠이 오기는커녕 정신은 맑아지기만 했다. 그는 가끔 침대에서 내려와 방안을 왔다갔다 하기도 했다.

뜬눈으로 밤을 지샌 콜튼은 날이 밝자 모옴에게 달려갔다.

"이봐, 이 단편은 아주 근사한 희곡이 될 것 같아. 난 지난밤 한숨도 눈을 붙이지 못했어. 내가 이 작품을 볼 수 있었다니, 뜻밖의 큰 행운이야."

그러나 모옴은 시큰둥하게 대답했다.

"뭐! 희곡으로 만든다구. 정신 나간 소리 작작하라구. 이 작품은 별게 아냐."

그래도 흥분을 감추지 못하는 콜튼에게 모옴은 무뚝뚝하게 말했다.

"이봐, 기껏 연극으로 공연한다 해도 분위기가 너무 어두울걸. 게다가 공연시간을 최대한 늘린다 해도 6주 이상은 가지 못할거야."

콜튼의 고집으로 각본은 마무리되었지만 5,6명의 연출가로부터 모두 거절당했다. 별볼일 없다는 것이 한결같은 반응이었다. 5,6명의 연출가 사이를 극본이 전전하다가 마침내 연출가 샘 해리스에게 맡겨졌다. 그는 신인 여배우 진 이글스를 새디 톰슨 역으로 발탁했다.

그 결과 모옴이 예견했던 6주를 훨씬 뛰어넘어 415회나 연속

공연되었고 그때마다 대성황을 이루었다. 하잘것없다는 혹평을 수없이 받은 그 작품이 브로드웨이에 센세이션을 일으킨 것이다.

깎지 않는 연필

사소한
문제에서부터 출발하라.

"에잇, 새로운 아이디어가 떠오르기가 바쁘게 연필부터 깎아야 하다니……."

연필 깎는 칼을 집어들던 홍려는 투덜거리기 시작했다.

대장장이의 아들로 태어난 홍려는 어려서부터 발명에 관심이 많았다. 아마 풀무로 쇠를 달구어 거대한 망치로 뚱땅거려 생필품을 만들어내는 아버지의 일하는 모습에서 연유했는지도 모른다.

홍려는 대만에서 손꼽히는 발명가였다. 그러나 애석하게도 그의 발명품들은 사람들의 주의를 끌지 못했다.

그러나 연구실의 불빛은 꺼질 줄 몰랐고 아이디어를 기록하는 홍려의 열성은 식을 줄 몰랐다. 그러다 보니 연필심은 자꾸

닳거나, 부러지기 일쑤였다. 그에게는 연필 깎는 것이 큰 불편이었다.

투덜거리며 연필을 깎던 홍려는 칼자국이 한 번 생길 때마다 연필심이 조금씩 길어지는 것을 자세히 관찰했다.

"그래, 깎지 않는 연필을 만드는거야. 깎지 않아도 연필심이 조금씩 나온다면 연필 깎는 번거로움도 없애고 손도 베지 않을 거야."

홍려는 진행 중이던 모든 연구를 중단하고 '깎지 않는 연필' 연구에 몰두했다.

'문제는 연필심을 자유롭게 조절할 수 있는 장치이다.'

한 달쯤 지난 어느 날 아침, 그는 이를 닦으려고 치약을 죽 짰다. 치약을 바른 칫솔을 이에 대던 홍려는 멈칫했다.

'이거야! 왜 진작 생각지 못했던가? 아침마다 치약의 꽁무니를 눌러짜면서도 왜 여태 연구의 실마리조차 잡지 못했던가?'

그는 칫솔을 팽개치고 연구소로 달려갔다. 치약을 짜내는 원리를 이용하여 '깎지 않는 연필'을 만들 작정이었다.

홍려는 연필심을 카트리지에 끼우고, 그것을 속이 빈 플라스틱 파이프에 한 줄에 열 개씩 넣었다. 끝의 심이 다 닳아지면 카트리지를 빼고 그것을 파이프의 꽁무니에서 누르면 두번째 심이 나오게 되어 있었다.

깎지 않는 연필이 특허로 등록되자 대만 굴지의 문구회사인 백능주식회사 사장이 그를 찾았다. 그는 특허를 팔 것을 제의했고 홍려는 수락했다.

이때는 1972년이었는데 홍려의 깎지 않는 연필은 순식간에 전세계를 휩쓸었다.

갈림길이 실마리

◆

원인을 찾으려면 현장을 조사하라.
연구실의 자료는
그리 믿을 만한 게 못 된다.

정부의 위촉으로 아프리카에 파견된 코흐는 풍토병인 수면병 연구에 바쁜 나날을 보내고 있었다. 수면병이란 잠든 상태가 지속되다가 결국에는 혼수상태로 빠져 죽는 그런 병이었다.

수면병에 걸린 환자를 찾아다니며 조사·분석해보았지만 실마리는 보이지 않았다. 수면병자는 눈에 띄게 늘어만 갔다. 치료약은커녕 원인조차 알 수 없었으므로 잠든 채 죽어가는 사람들을 볼 때마다 코흐는 자책감에 시달려야만 했다.

주민들은 하나둘씩 고단한 얼굴을 했고, 그것을 시작으로 두통을 일으키다가 팔다리와 얼굴이 부어오른 채 잠이 들고는 영영 일어나지 않았다.

이 지방의 풍토병인 '잠자는 병'은 이렇게 주민들의 목숨을 하나하나 옥죄어 왔다.

코흐는 초조와 안타까움의 일상이었다.

코흐는 자책감과 연구에서 오는 피곤함을 식히고자 산책을 나섰다. 수풀이 무성한 길을 따라 걸었다. 강렬하게 내리쬐는 태양과 무성한 잎들의 숨소리를 느끼며 걷고 있는데 갈림길이 나왔다.

'어느 쪽으로 갈까?'

잠시 서성거리는 코흐 앞으로 수면병에 걸린 원주민이 들것에 실려 지나갔다. 급히 사라져가는 그들의 뒷모습을 보고 있으려니 또 그 길에서 환자가 실려나오고 있었다. 문득 이상하다는 생각이 뇌리를 스쳐갔다.

그는 들것을 들고 가는 사람을 붙잡고 물었다.

"여보게, 저쪽 길에선 환자가 실려나오지 않는데 왜 이 길에서만 환자가 나오는지 자네는 알고 있는가?"

"저도 잘 모르겠는데요. 하지만 항상 그랬어요. 저쪽 길에서 환자가 실려오는 걸 저도 거의 못 봤습니다."

코흐는 고개를 갸웃했다.

'이 사람의 말이 사실이라면 그 이유는 대체 뭘까? 한쪽 마을에는 병이 걸릴 만한 조건이 있는데, 다른 마을에는 그것이 없기 때문이 아닐까?'

코흐는 다시 물었다.

"여보게, 이쪽에는 있지만 저쪽에는 없는 것이 있다면 그것이 무엇인지 알겠는가?"

"글쎄요, 저어 악어가 아닐까요? 이쪽에는 악어가 무척 많은데 저쪽엔 아마 악어가 없을 겁니다."

그 말을 들은 코흐는 수면병에 악어가 관련되어 있다고 생각했다. 그는 악어를 조사해보기로 결심했다.

코흐는 매일 악어를 관찰했다. 악어와 관련된 모든 것을 조사했다.

악어의 몸에 붙어 있던 말파리를 조사하던 코흐는 마침내 그로시나 팔라아리스라는 병원체를 말파리의 체내에서 발견하게 되었다.

만일 코흐가 연구실에만 처박혀 입수된 자료만으로 연구했다면 이같은 결과는 어림없었을 것이다.

두더지처럼

◆

강직한 뜻에 따라
지구상 무슨 일이라도 할 수 있다.

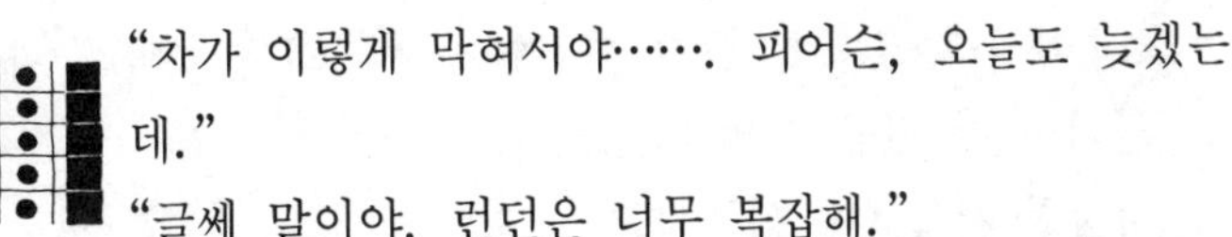

"차가 이렇게 막혀서야……. 피어슨, 오늘도 늦겠는데."

"글쎄 말이야. 런던은 너무 복잡해."

찰스 피어슨은 친구와 함께 붐비는 찻속에서 투덜거렸다. 버스는 버스대로 밀리고 도로는 도로대로 밀렸다. 장시간 정차로 인하여 약속 시간에 닿지 못할 것 같은 불안감이 겹쳐 짜증만 났다.

"피어슨, 만약에 바퀴 달린 신발이라든가 날아다닐 수 있는 개인용 날개가 있다면 얼마나 좋을까?"

"스미드, 좋은 생각이 났어. 런던의 복잡한 도로 밑에 터널을 뚫는거야. 그 터널 속으로 차가 다니면 되지."

"하하, 그것도 좋은 방법인 것 같긴 한데."

장난스레 웃어 넘기는 친구 스미드의 얼굴을 피어슨은 진지하게 바라보았다.

"이봐, 흰소리가 아냐. 난 생각해봐야겠어. 다른 동물들은 땅 위를 고집하는데 왜 두더지는 땅 속으로 다닐까? 두더지처럼 우리도 땅 속으로 다니는 길을 만들면 돼."

"이봐 피어슨, 장난이겠지. 우린 두더지가 아냐. 만물의 영장이라는 사람이란 말이야. 그런데 햇빛 한 줄 들어오지 않는 땅 속으로 다니자고?"

"두더지처럼 사람도 땅 속으로 다닐 수 있어. 땅 밑으로 커다란 길을 만든다고 해서 나쁠 것 없잖아."

장난기 넘치는 친구와 헤어져서 돌아온 그 길로 피어슨은 두더지와 터널에 대한 생각에 빠져들었다.

1843년, 런던 시의회 건물에서는 폭소가 터져나오고 있었다.

"우하하, 여보시오, 그걸 제정신으로 말하는거요?"

오랜 연구의 결과를 들고 자신있게 시의회를 찾아간 피어슨은 멀거니 서 있을 수밖에 없었다.

'지하철 시스템을 만들자는데 그게 과연 미친 짓일까?'

"이봐요, 사람이라면 가기 싫다고 버팅겨도 죽으면 땅 속에 들어갈 텐데, 멀쩡하게 살아서 왜 땅 속으로 들어갑니까?"

런던 시의회의 그 누구도 피어슨의 지하철 시스템에 관심을 두지 않았다.

그러나 피어슨도 쉬 누그러들지 않았다. 기회가 있을 때마다 지하철의 중요성을 역설하곤 했다.

그렇게 10년이 지났다. 그 동안 피어슨은 지하철 시스템을 수정·보완하였고, 한편으로는 지하철을 개설하는 문제를 여론화하는 데 힘썼다. 결국 런던 시의회는 피어슨의 제안을 받아들이기로 결정했다.

세계 최초의 지하철은 파딩턴의 패린던과 비숍스를 잇는 선으로, 길이는 6킬로미터에 달했다. 어려움도 많았지만 1863년 1월 10일 세계 최초의 지하철이 개통되었다.

기회

기회는 새와 같은 것이다.
날아가기 전에 붙잡으라.

계절은 빨간 앵두를 더욱더 먹음직스럽게 익히고 있었다. 개구쟁이 소년 앤은 그 앵두를 볼 때마다 입안에 감도는 군침을 어쩌지 못했다. 그러나 그에겐 그림의 떡이었다.

그런데 우연처럼 기회가 왔다. 그날 앤은 어머니를 따라 장을 보러갔다. 장에는 볼 거리가 많았다. 이것저것이 모두 어린 소년에게는 흥미의 대상이 되었다. 그리고 무엇보다도 먹을 것과 먹고 싶은 음식들이 눈에 자주 띄었다.

어머니를 따라 소년은 채소와 과일을 파는 가게에 들어갔다.

"어서 오세요. 오늘은 귀여운 아드님도 함께 오셨군요."

반갑게 맞이하는 주인과 인사를 나눈 어머니는 이것저것을 샀다. 주위를 둘러보던 앤의 눈에 확 들어오는 것이 있었다.

그것은 앵두였다. 자신이 그토록 먹고 싶어했던 앵두였다.

앤은 뚫어져라 그 앵두만을 쳐다봤다. 어머니가 사는 물건 따위는 전혀 흥미가 없었다.

"아니 이 꼬마 도련님이 무엇을 그렇게 쳐다보고 있지?"

가게 주인은 앤의 머리를 쓰다듬었다. 그때 꿀꺽꿀꺽 침 넘어가는 소리가 들리는 듯했다. 가게 주인은 빙그레 웃으며 앤에게 말했다.

"괜찮아, 먹고 싶으면 한 주먹 가져가거라."

앤은 내심 기뻤다. 그러나 선뜻 앵두를 집지 않았다.

"왜 그러니? 별로 먹고 싶지 않니?"

"아니어요 아저씨, 굉장히 좋아해요. 무척 먹고 싶은걸요."

이상스러워하는 가게 주인이 혹 딴 말을 할까봐 냉큼 이렇게 대답했다.

"그래? 그럼 어서 집으렴."

재차 권하는 주인의 말에도 앤은 아랑곳하지 않고 바라만 보았다.

"이 녀석, 괜찮대두. 옜다, 맛있게 먹으렴."

하는 수 없다는 듯 주인은 직접 자기의 손으로 집어주었다.

앤은 재빨리 자신의 모자를 벗어 새빨갛게 익은 앵두를 덥석 받았다.

"녀석, 진작 그럴 것이지."

그러면서도 주인은 앤의 기특함에 미소지었다.

'비록 주인이 허락했더라도 남의 물건을 마음대로 집어가는 것은 나쁘다고 생각하는 것이야.'

"고맙습니다, 아저씨."

어머니와 집으로 돌아온 앤은 앵두를 맛있게 먹고 있었다.

"앤, 너 아까는 왜 그런 행동을 했니? 먹어도 된다고 주인이 말했는데도 가만히 있는 것은 말야?"

궁금한 마음으로 이렇게 묻는 어머니에게 앤은 당당하고 자신있게 큰소리로 말했다.

"히히 그건 이런거여요. 제 손보다 아저씨 손이 더 크잖아요. 더 많은 앵두를 얻을 수 있잖아요."

기회가 왔을 때 그것을 최대한 크게 이용하는 법을 앤드류 카네기는 소년 시절부터 터득한 것이다.

소음과 구멍의 함수관계

◆

세상의 큰일은
언제나 작은 데서 시작된다.

후쿠이에는 평범한 샐러리맨이었다. 맡겨진 일을 성실히 하고, 퇴근 후에는 곧바로 집으로 돌아와 아내의 일을 거들어주는, 그럭저럭 만족스런 나날을 보내는 사람이었다.

그러던 어느 날, 갑작스런 감기 몸살로 앓아 눕게 되었다. 평소라면 약이나 지어 먹고 출근했겠지만 이번 감기는 예전과 달랐다. 도저히 일어날 수가 없었다.

후쿠이에는 그대로 침대 위에 누워 있었다. 침대 옆 난로 위에선 물이 담긴 주전자가 나지막한 소리를 내며 끓었다.

훈기가 오르는 난로를 곁눈으로 바라보던 후쿠이에는 자신도 모르게 잠에 빠져들었다.

"덜커덩 덜커덩…."

갑자기 요란스런 소리가 들려왔다. 주전자 속의 물이 끓자 뚜껑이 들썩거리는 소리였다. 시간이 지날수록 수증기의 힘도 세어져 덜컹거리는 소리는 높아만 갔다.

후쿠이에는 난감했다. 방안이 건조하니 주전자는 올려놓아야 겠고, 그냥 두자니 덜컹거리는 소리에 잠을 잘 수 없고……. 신경이 날카로워졌다.

그 순간 송곳이 후쿠이에의 눈에 띄었다. 그는 송곳을 집어 들고 주전자 뚜껑에 구멍을 뚫었다. 그러자 신기하게도 들썩거리는 소리가 멈췄다. 수증기는 구멍을 통해 빠져나가고, 빠져나간 수증기는 집 안의 습도 유지에 안성맞춤이었다.

후쿠이에는 다시 침대로 돌아가 정신없이 잠에 빠져들었다.

서너 시간 후, 후쿠이에는 잠에서 깼다. 물은 계속 끓고 있었지만 덜컹거리는 소리는 더이상 들리지 않았다. 송곳으로 뚫은 구멍 사이로 수증기가 알맞게 새어나오기 때문이었다.

후쿠이에는 비몽사몽 간의 행위가 매우 실용적임을 깨달았다.

그는 아픈 몸을 이끌고 특허청으로 달려갔다.

이 소식이 알려지자 주전자 공장은 물론 냄비 공장에서까지 후쿠이에를 찾아왔다. 무심코 지나치기 쉬운 작은 발견이 훌륭한 발명품이 된 셈이다.

자기 PR의 시대

2007년 4월 25일 인쇄
2007년 4월 30일 발행

엮은이 | 김 성 연
펴낸이 | 김 용 성
펴낸곳 | 지성문화사
등 록 | 제5-14호 (1976.10.21)
주 소 | 서울시 종로구 숭인동 1423 대지빌딩
전 화 | (02) 2233-5554, 2236-0654
팩 스 | (02) 2238-4240, 2236-0655

ISBN 978-89-7575-195-0